Conservateur général
du patrimoine des
musées de la Ville
de Paris, Anne-Marie
de Brem est chargée
du musée de la Vie
romantique. Elle a
organisé plusieurs
expositions et a publié :
*Lord Byron une vie
romantique* (1989,
collectif), *Le Larmoyeur
d'Ary Scheffer* (1989),
*Lamartine et les
artistes du XIXe siècle*
(1990, avec M.-R. Morin),
L'atelier d'Ary Scheffer
(1991), *Louis Hersent
peintre d'histoire et
portraitiste* (1993).
Participant aux travaux
du Centre d'études et
de recherche des
correspondances des
XIXe et XXe siècles, elle
prépare la publication
du tome II de la
*Correspondance
générale* d'Ernest
Renan (à paraître).

*Dépôt légal : février 1997
Numéro d'édition : 78311
ISBN Gallimard: 2-07-053393-X
ISBN Paris-Musées : 2-87900-342-3
Imprimerie Kapp Lahure Jombart,
à Evreux (France)*

GEORGE SAND
UN DIABLE DE FEMME

Anne-Marie de Brem

DÉCOUVERTES GALLIMARD
PARIS-MUSÉES
LITTÉRATURE

Une histoire familiale mouvementée, mêlée aux événements politiques et sociaux qui agitent la France dans les années 1800, contribue à faire d'Aurore Dupin, future George Sand, une enfant puis une jeune fille différente des demoiselles de son époque.

CHAPITRE PREMIER

LE CAMP DES DIABLES

Le Berry occupe une place importante dans la vie et l'imaginaire de George Sand : elle en connaît tous les paysages (page de gauche, une scène rurale) et fréquente depuis son enfance les hobereaux du voisinage de Nohant, les bourgeois de La Châtre aussi bien que les paysans des alentours. Elle placera seize romans ou nouvelles dans ce cadre berrichon.

«Me voilà donc, enfant rêveur, candide, isolé, abandonné à moi-même...»

La vie de la jeune Aurore Dupin bascule lorsqu'elle a cinq ans. En 1808, son père, Maurice, meurt accidentellement lors d'un séjour à Nohant, en Berry, dans la maison familiale. L'enfant est séparée de sa mère par son aïeule; celle-ci juge que sa belle-fille mène une vie douteuse. Qui dira l'importance d'une éducation à la campagne sans programme contraignant? Sa grand-mère, imprégnée des idées du siècle des Lumières, la confie à un précepteur

Par ses alliances royales, la grand-mère de George Sand (ci-contre, avec son fils Maurice) est une dame de qualité, bien qu'elle soit bâtarde du maréchal de Saxe. Elevée au couvent de Saint-Cyr grâce à l'appui de la dauphine Marie-Josèphe de Saxe, elle épouse le receveur des finances Dupin de Francueil et met au monde un fils, Maurice, père de la future romancière. Au début de la Révolution, espérant se faire oublier dans la tourmente, Mme Dupin achète le château de Nohant, en Berry (ci-dessous). Sous le Directoire, les jeunes Français hument l'odeur des champs de bataille : Maurice s'engage dans les armées de Bonaparte pour libérer l'Europe et rencontre à cette occasion Sophie-Victoire Delaborde qui deviendra sa femme.

original; l'enfant profite de l'indépendance qui lui est accordée, accède à la culture et à un savoir diversifié : arithmétique, botanique, latin. Suprême privilège, elle a le droit de prendre tous les livres qu'elle désire dans la bibliothèque, ce qui est une liberté rare pour l'époque. S'il est un pédagogue ennuyeux, Deschartres est peu autoritaire. Son élève se trémousse sur sa chaise, étouffe des bâillements, finit «par lui dire des folies qui le font rire et gronder en même temps». Les leçons de dessin, de danse et de piano qu'on lui donne sont trop superficielles pour lui enseigner réellement un art; elles éveillent cependant son goût et sa curiosité. Pour assouvir ce besoin de culture, elle reste parfois seule, à lire ou à écrire ce qui lui vient à l'esprit.

A la maison, la petite fille se soumet aux bonnes manières inculquées par sa grand-mère et aux leçons de Deschartres. Mais dès qu'on la laisse libre, elle se sauve en sabots dans les bois. Elle joue à colin-maillard ou aux osselets avec les petits paysans des environs où chaque ferme, chaque pré abrite des amis et des compagnons. Au lieu de garder les troupeaux, les enfants goûtent au bord des ruisseaux de pain bis et de crème, traient les brebis pour boire leur lait, font rôtir des alouettes et des pommes sous la cendre.

Mme Dupin aurait peut-être fini par interdire ces vagabondages, mais elle tombe malade. Sa fermeté s'émousse et chaque jour Aurore est livrée davantage à elle-même. D'une nature rêveuse, elle se retire dans l'imaginaire, se créant un monde fantastique et poétique gouverné

L'histoire des aïeux de George Sand (à gauche, à l'âge de six ans) ressemble à un roman de cape et d'épée. En 1694, la belle Marie-Aurore de Koenigsmark arrive en Saxe pour faire la vérité sur la mystérieuse disparition de son frère Philippe. Elle rencontre à Dresde l'électeur Frédéric-Auguste, qui sera élu roi de Pologne en 1698. Un enfant naît de leur liaison le 28 octobre 1696, Maurice. Futur maréchal de Saxe, il sera le vainqueur de la bataille de Fontenoy. Maurice de Saxe, soucieux du moral de ses soldats, fait venir des comédiens pour les distraire : parmi eux, la jeune et jolie Marie Rainteau, qui a de lui une fille, Marie-Aurore, grand-mère de la romancière.

par un dieu imaginaire : Corambé. Entouré d'êtres mélancoliques, il évolue dans des paysages merveilleux. Elle lui élève un autel orné de fleurs dans le parc et s'évade pendant de longues heures dans une rêverie que nul ne vient troubler.

Les années de couvent

«Ma fille, vous n'avez plus le sens commun. Vous aviez de l'esprit, et vous faites tout votre possible pour devenir ou pour paraître bête.» Mme Dupin s'inquiète. Sa petite-fille devient ingouvernable. La décision est prise de confier son éducation aux soins d'un établissement renommé : le couvent des Dames Augustines anglaises, rue des Fossés-Saint-Victor à Paris. En uniforme de serge amarante, Aurore apprend l'anglais, prend le thé l'après-midi, et se fait des amies dans la haute société. Le couvent, qui a servi de prison pendant la Révolution, est un labyrinthe de couloirs sans issues, d'escaliers obscurs, de caves fermées par de lourdes portes à guichet, de murailles ruinées. On y trouve même un cloître voûté pavé de pierres sépulcrales et une chapelle gothique. Aurore conduit les écolières à travers les souterrains au cours d'expéditions nocturnes. Elles y entreprennent de folles explorations, héroïnes de romans noirs et fantastiques.

Pendant sa première année d'internat, Aurore s'embrigade «résolument dans le

Aurore ressent douloureusement l'abandon de sa mère, qui la laisse à Nohant en échange d'une rente annuelle de Mme. Dupin. Pendant plusieurs années, elle brûle d'une passion inassouvie pour l'absente (comme l'atteste la lettre en page de droite). Elle s'en détache peu à peu, pressentant que sa mère est incapable de la guider et de la comprendre. Sophie-Victoire possède un caractère vif et emporté, une humeur instable et un cœur indifférent en dépit de brusques accès d'affection.

de
dir

camp des diables», puis elle se calme les années suivantes. Elle s'attache à l'une des religieuses, Mme Alicia, en qui elle trouve l'affection maternelle qui lui manquait, devient dévote et se met à lire *La Vie des saints*. A la voir troublée par cette crise de mysticisme, l'aumônier de la maison, l'abbé de Prémord, s'alarme et la sermonne. Sa sagesse préserve la jeune fille de vœux imprudents : qu'elle retourne aux amusements de son âge! Aurore reprend goût à la corde à sauter et à la marelle. Son esprit s'apaise, elle organise des spectacles pour la grande classe en improvisant des comédies avec ses camarades, fait des vers et écrit des romans.

A seize ans, une éducation de jeune fille est terminée; il est temps de songer à la marier. Aurore rentre à Nohant, près de La Châtre, dans la maison familiale. Sa grand-mère est clouée au lit, paralysée par une crise d'apoplexie. Elle devient garde-malade d'une vieille dame qui a perdu la mémoire et sommeille tout le jour.

Initiée par son précepteur à la gestion de la propriété, elle l'accompagne dans les fermes, et soigne les malades sous sa direction.

"Je me réjouis d'être au couvent. [...] J'aurais presque voulu qu'on m'oubliât. [...] Le cloître et l'église étaient pavés de longues dalles funéraires sous lesquelles reposaient les ossements vénérés des catholiques de la vieille Angleterre. Enfin tout était anglais dans cette maison, le passé et le présent. [...] Ce fut pour moi, paysanne du Berry, un étonnement, un étourdissement à n'en pas revenir de huit jours.**"**

George Sand,
Histoire de ma vie,
1854-1855

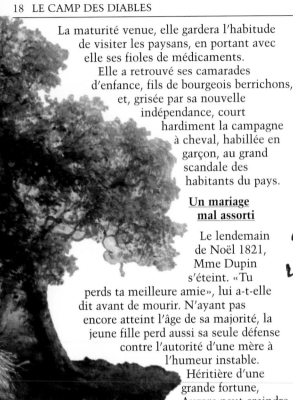

La maturité venue, elle gardera l'habitude de visiter les paysans, en portant avec elle ses fioles de médicaments.

Elle a retrouvé ses camarades d'enfance, fils de bourgeois berrichons, et, grisée par sa nouvelle indépendance, court hardiment la campagne à cheval, habillée en garçon, au grand scandale des habitants du pays.

Un mariage mal assorti

Le lendemain de Noël 1821, Mme Dupin s'éteint. «Tu perds ta meilleure amie», lui a-t-elle dit avant de mourir. N'ayant pas encore atteint l'âge de sa majorité, la jeune fille perd aussi sa seule défense contre l'autorité d'une mère à l'humeur instable.

Héritière d'une grande fortune, Aurore peut craindre de se voir courtisée par des prétendants intéressés. Cela ne sera pas sans incidence sur le choix un peu précipité qu'elle fait d'un mari. Elle ressent la nécessité d'échapper à la tutelle despotique et soupçonneuse de sa mère, et consent à épouser un jeune militaire à la figure avenante, Casimir Dudevant. Il a vingt-sept ans, elle, dix-huit. Mais ce choix n'est libre qu'en apparence : Aurore doit passer par les étapes obligées d'épouse, de mère et

Aurore épouse en 1822 Casimir Dudevant, «un jeune homme mince assez élégant, d'une figure gaie et d'une allure militaire» (ci-dessous, un extrait de leur acte de mariage). «Il faut, je crois, que l'un des deux, en se mariant, renonce entièrement à soi-même et fasse abnégation non seulement de sa volonté mais de son opinion; qu'il prenne le parti de voir par les yeux de l'autre», écrit-elle, pleine de bonne volonté. Mais, malgré la naissance de Maurice et de Solange (page de droite), Aurore s'ennuie profondément.

de maîtresse de maison. Elle mettra huit ans
à conquérir son autonomie.

La cérémonie célébrée, en septembre 1822,
les deux époux s'installent au château de
Nohant, qu'a légué Mme Dupin à sa petite-
fille. Aurore est heureuse; son mari, juge-t-elle,
est bon, simple et franc. La jeune mariée pense
avoir trouvé enfin un ami sûr.

1822 Elle a bien assimilé les
enseignements des religieuses :
l'autorité conjugale ne se discute
pas, la volonté des femmes doit être
sacrifiée au désir des maris, une bonne
épouse n'a pas besoin d'être intelligente,
il lui faut seulement du bon sens!

Un fils, Maurice, naît le 30 juin 1823.
Aurore le nourrit et lui donne tous ses
soins. Force est de constater cependant
qu'elle n'a pas épousé un intellectuel : Casimir
aime avant tout la chasse, la boisson et les amours
ancillaires. Aurore tente de s'en accommoder et fait
de grands efforts pour se mouler dans cette
existence conjugale. Casimir, de son côté, se
montre plein d'attentions. Il a fait venir à Nohant
un piano, écoute les lectures des classiques que
sa femme lui fait à haute voix, en tâchant de
conserver les yeux ouverts. Rien n'y fait : il
s'endort devant elle au coin du feu. Leurs
conversations se réduisent rapidement aux
affaires quotidiennes et leurs yeux se
dessillent un jour devant cette évidence :
ils n'ont aucun goût commun. Il ne reste
pour les rapprocher que l'amour de leur
enfant et leurs opinions politiques, d'orientation
résolument libérale.

Comment s'évader de l'ennui d'une vie sans
agrément? Aurore et son mari décident donc de
partir pour le Midi. Elle note ironiquement dans son
Journal : «Monsieur * * * chasse avec passion. Il tue
des chamois et des aigles. Il se lève à 2 heures du
matin et rentre à la nuit. Sa femme s'en plaint.
Il n'a pas l'air de prévoir qu'un temps peut venir où
elle s'en réjouira.» Ce jour n'est pas loin.

"Solange est devenue
belle comme un ange.
Il n'y a pas de rose
assez fraîche pour vous
donner l'idée de sa
fraîcheur. Maurice est
toujours mince, mais il
se porte bien et on ne
peut voir d'enfant plus
aimable et plus
caressant.**"**
George Sand,
Correspondance, 1830

Le libérateur apparaît sous les traits d'un jeune magistrat de Bordeaux, Aurélien de Sèze. Ils escaladent de concert les montagnes pyrénéennes, et tombent amoureux l'un de l'autre. Aurore, tentée par l'aventure, n'est pas encore prête à rejeter le fardeau conjugal, et, de retour à Nohant, elle sombre dans la mélancolie. Quelque chose est brisé dans son ménage, qui ne se réparera pas. La naissance d'une petite fille, Solange, le 13 septembre 1828, laisse des doutes sur la paternité de Casimir. Le père est vraisemblablement un ami berrichon, Stéphane Ajasson de Grandsagne. Un pas est franchi. Aurore a livré et gagné une première bataille contre la docilité et la résignation. Presque chaque jour, elle part en courses folles à travers bois pour retrouver ses camarades de La Châtre, sans se soucier de ce que fait son mari, qui ronfle ou lutine les bonnes de la maison.

En 1827, au cours d'un séjour à Cauteret, Aurore séduit un jeune magistrat de Bordeaux, Aurélien de Sèze (ci-dessus). Ils font des excursions dans les environs et s'enthousiasment pour le pittoresque des torrents et des gouffres : «Tout cela est si beau, si attachant, si bouleversant [...] qu'on est comme ivre.]».

L'hiver 1829 est une période fort joyeuse. Les jeunes gens courent les grands chemins, font des farces aux bourgeois de la ville, réveillent les gendarmes au petit matin «pour savoir s'ils ne sont pas morts», dansent la bourrée dans les bals d'ouvriers où, bousculés, ils participent à des bagarres générales, philosophent dans les rues désertes et terminent la soirée au coin du feu en chantant et dansant. Ces jeunes Berrichons sont tous un peu amoureux de leur compagne. Admiratifs de cette femme belle, libre, intelligente qui ne ressemble en rien à leurs sœurs ou à leurs femmes, ils lui susciteront dans son entourage des jalousies tenaces.

La révolution de 1830 : un air de liberté

En juillet 1830 la révolution, qui va renverser le gouvernement de la Restauration, éclate à Paris : Aurore et ses amis, tous républicains, sont au comble du bonheur et espèrent l'avènement des libertés.

Durant ces jours de fièvre, Aurore fait la connaissance de Jules Sandeau, jeune étudiant de dix-neuf ans, dont le visage avenant, les cheveux bouclés, la séduisent. Ils deviennent amants et se retrouvent dans la campagne sans beaucoup se soucier du qu'en-dira-t-on. Une bonne âme met Casimir au courant du goût soudain de sa femme pour les chemins creux. Furieux, il jette sur le papier toute l'expression de sa colère. En cherchant un jour un objet dans un secrétaire, Aurore découvre un paquet qui lui est adressé , portant ces mots «Ne l'ouvrez qu'après ma mort». «N'ayant pas la patience d'attendre d'être veuve», Aurore déchiffre avec indignation les accusations de son mari outragé. Décidée à saisir l'occasion, elle déclare à son mari : «Je veux une pension et j'irai à Paris.» Aurore laisse ses enfants à la campagne et les confie à leur précepteur Jules Boucoiran. Elle reçoit une pension et s'engage à revenir à Nohant tous les trois mois. La première page de son existence est tournée.

La rencontre d'Aurore Dudevant avec Jules Sandeau (ci-dessous) est liée aux jours d'enthousiasme provoqués par les barricades de juillet 1830. Elle rêve d'être

à Paris, de prendre part à la Révolution et d'assister aux affrontements (ci-dessous, la prise de l'Hôtel de Ville, le 28 juillet 1830).

« A Paris Madame Dudevant est morte. Mais George Sand est connue pour un vigoureux gaillard», écrit-elle en 1831. Dès son arrivée dans la capitale, tout réussit à la jeune femme. Elle se lance dans le journalisme, fréquente les cercles littéraires avant de connaître ses premiers succès avec *Indiana* ou *Lélia*.

CHAPITRE II
UN NOM À SOI

L ogée dans une mansarde sur les quais de la Seine (page de gauche, le marché aux Fleurs), Aurore souhaite devenir écrivain. Mais il lui faut avant tout gagner sa vie et elle s'essaie au journalisme (ci-contre, «abonnés recevant leur journal et cherchant la manière de s'en servir»).

«Vive la vie d'artiste! notre devise est liberté»

Un matin de janvier 1831, Aurore Dudevant arrive à Paris. Elle a dormi dans la diligence venant de Châteauroux, la tête posée sur un paquet contenant trois dindes farcies envoyées pour le nouvel an dans la capitale.

Elle s'installe provisoirement dans un appartement prêté par son demi-frère, Hippolyte Chatiron; à cette adresse, rue de Seine, elle sera à l'abri des regards indiscrets. Un mari est parfois curieux... Mais la jeune femme n'a pas l'intention de rester sous l'aile de sa famille : une vie nouvelle l'attend dans la capitale.

Elle s'établit avec Jules Sandeau, quai des Grands-Augustins, dans une petite chambre perchée au cinquième étage, à laquelle on accède par un escalier étroit. Les amis berrichons forment une petite colonie à Paris, et sont heureux de l'accueillir parmi eux.

Comment se fondre dans leur groupe sans être remarquée dans les rues de la capitale? Les robes et les escarpins sont une entrave pour déjeuner sur le

Aurore s'insère avec aisance dans la vie de ses camarades rapins et journalistes (ci-dessus, la jeune femme vers 1831). Elle participe à leurs discussions politiques et littéraires, et partage leurs soucis d'argent. Elle déjeune au café pour quelques sous (ci-contre), flâne chez les bouquinistes (double page suivante, le quai Conti), devient une habituée des cabinets de lecture et des théâtres, s'habille en garçon pour entrer au parterre sans être importunée (page de droite). «Vivre ! que c'est doux ! que c'est bon ! malgré les chagrins, les maris, l'ennui, les dettes, les parents !» écrit-elle enthousiaste.

Pont-Neuf de pommes de terre frites et de beignets achetés aux marchands ambulants. «Je me fis donc faire une redingote-guérite en gros drap gris, pantalon et gilet pareils. Avec un chapeau gris et une grosse cravate de laine, j'étais absolument un petit étudiant de première année.» Il n'est plus besoin de voiture pour arpenter Paris.

En 1831, le Berrichon Henri de Latouche (médaillon ci-contre) est directeur du *Figaro*, petit journal républicain d'opposition. Fondateur du reportage moderne, Latouche est un journaliste brillant au caractère difficile. Il accueille sa compatriote dans sa rédaction et lui apprend le métier.

Des débuts dans le journalisme

Il lui reste à se servir de son courage, de son audace et de son charme pour inventer sa propre existence. Aurore a emporté dans son sac une lettre de recommandation pour Henri de Latouche, le célèbre directeur du *Figaro*. Sans écouter sa timidité naturelle, elle grimpe résolument les trois étages de la maison du grand homme, en serrant sous son bras quelques pages de manuscrit, et se trouve devant un personnage aux manières aimables qui l'accueille avec courtoisie, sans lui cacher qu'il sera sévère à l'égard de ses textes. Installée dans un grand fauteuil, elle lui lit d'une voix assurée l'histoire d'*Aimée* qu'elle a écrite l'année précédente. Lorsque, enfin, elle se tait, l'homme de lettres, fidèle à sa réputation de journaliste sans complaisance, lui dit que cela «n'a pas le sens commun» et qu'elle ferait bien de tout recommencer.

La jeune femme n'est pas de tempérament à se décourager à la première rebuffade. Latouche, d'ailleurs, lui fait une offre : il lui propose d'écrire des articles

Aurore collabore avec Sandeau pour les articles donnés à la *Revue de Paris* (ci dessous, autoportrait charge sur papier à en-tête de la revue) et pour l'écriture d'un roman, *Rose et Blanche*. Ce travail alimentaire est signé d'un nom collectif : J. Sand. Aurore a sans doute rédigé la plus grande partie du livre, et les passages grivois ont été ajoutés par Jules Sandeau. Lorsque *Indiana* paraît, Sandeau refuse par honnêteté de signer un roman auquel il n'a pas participé.

pour *Le Figaro*. Mais il les paie 7 francs la colonne, ce qui est peu.

Jules Sandeau décide alors d'aller trouver le docteur Véron, et le rédacteur en chef de la *Revue de Paris* insère un des articles que les jeunes gens ont écrits ensemble. Le secret doit être gardé sur cette collaboration littéraire car M. Véron déteste les femmes et n'en veut admettre aucune dans sa revue. Aurore, de son côté, accepte en soupirant de rejoindre la rédaction de *La Mode* : la gazette n'est pas le roman!

La future journaliste fait ses classes sous la direction d'Henri de Latouche; bourru et sans indulgence, Latouche accueille malgré tout avec générosité les débutants. A son contact, Aurore apprend le métier d'écrivain. Il reçoit au coin de son feu. Seule femme au milieu des rédacteurs néophytes, Aurore est assidue aux réunions. Ecrivant, peinant, raturant, jetant au feu ses morceaux trop longs, George suit les leçons de ce maître sévère qui coupe sans pitié, émet des critiques acerbes mais pertinentes. Lorsque le lendemain elle va prendre son déjeuner au café Conti, et voit les platitudes qu'elle a griffonnées la veille dans les mains des lecteurs de journaux qui l'entourent, une immense envie de rire la prend. Un de ses échos dans *Le Figaro* offense le gouvernement, le journal est saisi, mais l'affaire ne va pas devant les tribunaux. Malheureusement. C'eût été la gloire!

INDIANA

PAR

G. SAND.

Liberté, indépendance et succès littéraire

En 1831, Aurore se préoccupe de faire paraître *Rose et Blanche,* le roman qu'elle a écrit avec Sandeau sous le pseudonyme de J. Sand, chez l'éditeur B. Renault. Les lecteurs lui font bon accueil. Son apprentissage est terminé; l'ouvrage qu'elle publie seule au début de 1832, *Indiana*, fait l'effet d'un coup de tonnerre dans le Paris littéraire.

Aurore a lieu d'être fière : oubliant la parution récente de *Notre-Dame de Paris*, un critique affirme qu'*Indiana* est le plus beau roman de mœurs qu'on ait publié depuis vingt ans... Victor Hugo est furieux! Et le sévère Latouche estime que la nouvelle romancière surpasse Balzac et Mérimée. Ce dernier roman est signé G. Sand. Aurore, devenue George Sand, entame sa carrière sous un pseudonyme masculin.

Liberté, indépendance et succès littéraire sont au rendez-

A urore doit se trouver un nom de plume. Aurore Dudevant ou Dupin ? Sa famille s'y oppose. J. Sand, comme le souhaite l'éditeur? Cela embarrasse Sandeau. Aurore choisit George qui lui paraît «synonyme de Berrichon». Ce prénom lui évitera d'être cataloguée «auteur féminin». L'orthographe, George sans «s», à l'anglaise, ajoutera à l'équivoque. George Sand est née.

vous. Mais sa liaison avec Jules Sandeau est moribonde. George, qui en a pris l'initiative, ne supporte plus le caractère faible et dépendant de son compagnon. Elle veut mener une vie amoureuse libre et noue

ROSE *et* **BLANCHE** *ou* la comédienne et la religieuse, PAR J. SAND.

une brève liaison avec Marie Dorval qui triomphe cet hiver-là dans la pièce *Marion Delorme*. Elle trouve dans la célèbre actrice une franchise égale à la sienne, un même désir de rompre avec des amours insatisfaisantes et de vivre des expériences en dehors de la morale bourgeoise.

Cette vie libre ne va pas toujours sans difficultés, le souci de ses enfants ne quitte jamais longtemps l'esprit de George. Son mari ayant mis Maurice en pension à Paris, elle emmène la petite Solange vivre dans son deux-pièces. Promenade au Luxembourg l'après-midi, goûter à la maison ensuite. Lorsqu'elle veut sortir le soir, les voisins s'en chargent, et si elle ne trouve pas de garde secourable, elle emmène la fillette avec elle. C'est ainsi que les spectateurs de *Robert le Diable*, ébahis, la voient arriver un soir à l'Opéra précédée de Mérimée portant dans ses bras l'enfant endormie.

Pour élever son enfant sans sacrifier son travail, en rentrant après le spectacle, la jeune femme se met à sa table et c'est ainsi qu'elle écrit son nouveau roman, le troisième en quatorze mois.

En 1833, Sand signe un contrat avec François Buloz, le directeur de la *Revue des deux mondes*, et *Lélia* commence à paraître en feuilleton.

En 1833, paraît *Lélia*. L'ouvrage suscite de vives polémiques. George Sand écrit en 1834 à son sujet : «Je suis bien fâché d'avoir écrit ce mauvais livre qu'on appelle *Lélia*, non pas que je m'en repente : ce livre est l'action la plus hardie et la plus loyale de ma vie, bien que la plus folle et la plus propre

LÉLIA

PAR

GEORGE SAND.

à me dégoûter de ce monde à cause des résultats.» En 1839, elle remanie le roman et adoucit le caractère de l'héroïne. Delacroix s'en inspire pour exécuter plusieurs œuvres.Il fait cadeau à la romancière d'un pastel représentant la mort du poète Stenio sous les yeux de Lélia (à gauche).

Ce récit réunit tous les ingrédients des romans noirs : ruines sauvages, tempêtes déchaînées, moine taraudé par le désir, courtisane repentie. Quant à l'intrigue, elle s'inscrit dans la veine des récits romantiques à la mode avec ses personnages voués, sans trop de nuance, à la débauche ou au cloître.

Le réalisme des sentiments de l'héroïne va cependant à contre-courant de l'époque et les contemporains ne s'y trompent pas. Le livre fait scandale : la hardiesse de l'aveu de *Lélia* sent «la boue et la prostitution».

Pour la première fois, une romancière révèle avec précision les secrets de son expérience, et prend la parole au nom des femmes en dévoilant leurs frustrations. Elles peuvent y lire un tableau des souffrances qu'elles cachent à leurs maris : ceux-ci sont outrés.

Les partisans et les adversaires du roman se déchaînent, crient à l'obscénité, au sacrilège. Capo de Feuillide conseille aux lecteurs de *L'Europe littéraire* : «Le jour où vous ouvrirez le livre de *Lélia*, renfermez-vous dans votre cabinet.» Le roman provoque même un duel qui fait du bruit. Les critiques encensent ou condamnent avec une égale virulence la nouvelle romancière, et font de George, en quelques jours, un auteur à la mode.

R echerchée dans les salons littéraires, George Sand fait la connaissance de Marie Dorval (ci-dessous, dans le rôle de *Marion Delorme*), Sainte-Beuve, Vigny, Mérimée, Hugo... En 1833, elle rencontre François Buloz (ci-dessus). Il publiera trente-cinq de ses romans et de multiples articles ou nouvelles.

Mr Musset, à Mme Dudevant

Alfred de Musset : des amours tumultueuses

Un soir de printemps de 1833, le bruit des rires et des plaisanteries attire l'attention des passants de la rue de Richelieu. François Buloz réunit ses collaborateurs de la *Revue des deux mondes*. Les convives, élégants et spirituels, entourent la seule femme présente, la sulfureuse George Sand.

A la table brille un très jeune homme, nouvelle étoile de la poésie française, Alfred de Musset. Il vient de publier les *Contes d'Espagne et d'Italie*, qui ont charmé le publi; c'est un génie adolescent comme le sera Rimbaud. Il jouit d'une réputation détestable, il est dandy et débauché mais il peut être aussi délicieux et sensible.

Est-ce le hasard ou l'hôte malicieux qui a placé le poète et la romancière côte à côte? George, par timidité, est généralement silencieuse en société, mais son voisin se montre plein d'esprit et la fait rire. Lui la trouve très belle, et succombe à ses grands «yeux de velours noir».

Cette rencontre, commencée sous le signe de la littérature, marque le début d'une liaison entre deux auteurs avertis. Leur relation ne durera qu'un an et demi mais elle figure parmi les passions amoureuses les plus célèbres de l'Histoire car, en véritables écrivains, Musset et Sand vont utiliser leurs souvenirs dans leur œuvre.

Venise : un amour qui défraie la chronique

Voulant l'enlever à l'alcool et au jeu, George a emmené son amant à Venise. Alors qu'elle tombe malade assez sérieusement, sans doute d'une dysenterie, Musset revient à

En route pour l'Italie, Musset (page de droite) et Sand descendent le Rhône avec Stendhal qui retourne à Civita-Vecchia. Ils admirent sa conversation brillante, mais n'apprécient pas son esprit ironique. Arrivés à Avignon, ils se séparent de lui sans regret. Sur le bateau de Marseille à Gênes, Alfred écrit des vers humoristiques : «George est sur le tillac, / Fumant sa cigarette; / Musset comme une bête, / A mal à l'estomac.» George répond en caricaturant son compagnon (ci-contre). On peut lire dans la bulle : «Musset a le mal de mer».

ses vieux démons, et fuit sa chambre de l'hôtel Danieli, en lui disant avec cynisme qu'un artiste n'est pas né pour être esclave. Il boit, court les filles, et justifie son attitude avec désinvolture : «Je m'étais trompé... je ne t'aime pas.» George, trop affaiblie pour partir, accepte de rester avec lui en Italie, mais en camarade.

Quelque temps plus tard, Musset est pris à son tour d'une fièvre très forte. La jeune femme, sans rancune, le soigne avec l'aide d'un médecin qu'elle a fait quérir en hâte, Pietro Pagello. Musset délire, se bat avec des fantômes, repousse l'affreuse vision de George assise sur les genoux d'un homme : la romancière, tentée par un roman vénitien qui puisse nourrir son inspiration, et déliée par Musset de sa fidélité, est devenue la maîtresse de l'Italien. Après les tourments que lui ont fait subir les soupçons injustes, les colères et la trahison du poète, elle a enfin trouvé un homme équilibré et délicat qui la respecte et l'entoure de prévenances.

La beauté de Venise éblouit les voyageurs, descendus à l'hôtel Danieli (façade ci-dessous. A gauche, leur signature sur le registre de l'hôtel). «Venise était bien la ville de mes rêves, et tout ce que je m'en étais figuré se trouva encore au-dessous de ce qu'elle m'apparut, et le matin et le soir, et par le calme des beaux jours et par le sombre reflet des orages» note George Sand dans *Histoire de ma vie*.

Musset sait être charmant : le mois d'août 1833 leur apporte des moments de bonheur. La mansarde du quai Malaquais résonne toute la journée de rires et de chansons; Alfred exerce sa verve gamine et ses talents de dessinateur sur sa compagne (page de gauche, *Portrait à l'éventail*; ci-contre en bas, *George Sand fumant la pipe*). Il fait des caricatures (ci-contre en haut, *Sand et Musset*) et lui écrit des vers de mirliton qui la font rire aux larmes : «George est dans sa chambrette / Entre deux pots de fleurs / Fumant sa cigarette, / Les yeux baignés de pleurs.» Un incident, cependant, inquiète sa compagne. Lors d'un séjour à Fontainebleau, ils font une promenade au clair de lune dans les gorges de Franchard. Musset est saisi d'hallucinations, il voit un homme pâle courant dans la bruyère, son visage grimaçant et haineux tourné vers lui : «Alors j'ai eu peur, et je me suis jeté la face contre terre, car cet homme... c'était moi !» Il reverra plusieurs fois, par la suite, ce «jeune homme vêtu de noir et qui me ressemblait comme un frère» qu'il décrira dans *La Nuit de décembre*.

Alfred, jaloux de son rival mais repentant, rentre seul à Paris. Les échos de leur aventure vénitienne ont franchi les Alpes et les commérages vont bon train. La société blâme le comportement si peu «féminin» de George, qui renoue avec Musset, sans souci de Pagello pourtant revenu avec elle dans la capitale.

«J'ai souffert souvent, je me suis trompé quelquefois, mais j'ai aimé»

Lorsque le poète quitte Venise, il est seul et désespéré, mais n'en conserve pas moins un solide sens pratique. «Je t'ai écrit une longue lettre sur notre voyage dans les Alpes, que j'ai l'intention de publier dans la *Revue*, si cela ne te contrarie pas.» George n'est en rien blessée de voir les soucis matériels prendre le pas sur les sentiments du poète, et le charge de ses intérêts auprès des éditeurs. Une autre fois, Alfred écrit avec passion : «Tu m'aimes! Sois fière, mon grand et brave George, tu as fait un homme d'un enfant...» et il ajoute tout à trac : «A propos de cela, si tu as, par hasard, conservé les lettres que je t'ai écrites depuis mon départ, fais-moi le plaisir de les conserver»! Elle lui répond en souhaitant qu' «un jour tu puisses regarder en arrière et dire comme moi, j'ai souffert souvent, je me suis trompé quelquefois, mais j'ai aimé», phrase célèbre que Musset citera, comme d'autres, dans sa pièce *On ne badine pas avec l'amour*. Plus tard, le poète reviendra à sa vie de plaisir, mais son œuvre restera à jamais marquée par cette expérience sentimentale.

Sous les yeux narquois du monde parisien, les amants terribles retrouvent avec délice

Delacroix est un des premiers amis de George Sand dans le monde des artistes. A ses côtés dans les moments de déchirement qui suivent sa rupture avec Musset, il se représente avec elle dans le dessin à gauche. La romancière l'admire sans réserve : «C'est un génie et un homme jeune. Bien que, par une contradiction originale et piquante, son esprit critique sans cesse le présent et raille l'avenir, bien qu'il se plaise à connaître, à sentir, à deviner, à chérir exclusivement les œuvres et souvent les idées du passé, il est, dans son art, l'innovateur et l'oseur par excellence.»

le temps du malheur. Alfred alterne les scènes de jalousie et les scènes de passion convulsive. Un jour, retrouvant un peu de lucidité, il décide de rompre. Il parle d'elle dans les salons avec colère et dédain. Lorsqu'elle l'apprend, ivre de désespoir, George coupe ses cheveux et les lui envoie. C'est ainsi que la dessine Delacroix en ces heures de malheur : pâle, amaigrie, épuisée par les insomnies, et l'air d'un page avec sa chevelure écourtée. Elle ne peut plus travailler.

Après une scène plus violente que les autres, George a enfin la force de s'enfuir de Paris, sans prévenir Musset. Comme toujours, elle retrouve à Nohant la sérénité et l'apaisement.

Travailler et travailler encore...

Comme les autres écrivains, George Sand cède aux tourments du romantisme et les pages qu'elle publie dans les années 1830 figurent en bonne place dans la littérature lyrique du XIXᵉ siècle. Elle écrit à Venise la première *Lettre d'un voyageur*;

Sand reste à Venise trois mois après le départ de Musset. Pour rentrer en France, elle traverse les Alpes (ci-dessus, aquarelle de George Sand) et fait le voyage à pied, à dos de mulet et en voiturin. Elle admire au passage la cathédrale de Milan et fait une excursion à la mer de Glace. La jeune femme est malade d'impatience de revoir ses enfants (dessin de Musset à gauche). Pendant son absence, Maurice était pensionnaire au collège Henri-IV et Solange était restée à Nohant sous la garde de son père.

il y en aura douze, qui paraissent de 1834 à 1836. Pages bouleversantes, chargées d'amour, de désespérance ou de mélancolie, descriptions vibrantes et colorées de la nature, touches de fantaisie savoureuse et d'ironie spontanée.

George a des habitudes de travail régulières et elle écrit avec facilité. Entre cette travailleuse et Musset, souvent en panne d'inspiration, comment l'harmonie aurait-elle pu régner? Alfred de Musset se plaint: «J'ai travaillé toute la journée, et le soir j'ai fait dix vers et bu une bouteille d'eau-de-vie, elle a bu un litre de lait et écrit un demi-volume.» Alors que Sand noircit du papier huit heures sans s'interrompre, et ferme sa porte à tous jusqu'à ce qu'elle ait fini, le poète contemple en rêvant le Grand Canal et le dôme de la Salute. Leurs maladies successives ont vidé leur bourse, leur situation matérielle devient chaque jour

Elle même musicienne, George Sand a fréquenté de nombreux compositeurs et interprètes romantiques. La musique «me jette dans des extases et dans des ravissements qui ne sont pas de ce monde», écrit-elle. Le peintre allemand Danhauser l'a représentée écoutant Liszt en compagnie de Marie d'Agoult, d'Alexandre Dumas, Victor Hugo, Paganini et Rossini (tableau ci-dessous).

plus angoissante, George doit faire des prodiges : elle écrit, en moins de cinq mois, trois romans, *Leone Leoni*, *André* et *Jacques*.

Cinq ans seulement après ses débuts, l'éditeur Bonnaire met sous presse le premier tome de ses œuvres complètes! Il y en aura vingt-quatre.

«Cette chose sainte et sacrée qu'on appelle l'amitié»

George est devenue célèbre en quelques mois. Elle a acquis une position d'écrivain confirmé et quitte souvent sa table de travail pour rencontrer ses confrères. De nouveaux amis rejoignent les anciens : elle fait la connaissance de Sainte-Beuve, qu'elle prend comme confident, de Delacroix, «un génie... le premier maître de ce temps», devenu un ami cher. Coquette avec Henri Heine, elle fréquente Alexandre Dumas dont elle apprécie la fantaisie et l'imprévu.

Musset lui a présenté un jour Liszt, le jeune musicien hongrois dont le talent fait l'admiration de Paris. Il aime d'une passion romantique la comtesse d'Agoult, petite-fille du banquier allemand Bethmann. L'attitude de Marie d'Agoult, abandonnant sur un coup de tête mari et enfant, rappelle à George les héroïnes de ses romans. Elle lui écrit des lettres enthousiastes et passionnées : «Je ne vous connais pas personnellement, mais j'ai entendu Franz parler de vous et je vous ai vue. Je crois que d'après cela, je puis sans folie vous dire que je vous aime.» George se livre tout entière au nouvel objet de son engouement.

S and commence à écrire les *Lettres d'un voyageur* en 1834 (couverture ci-dessous). C'est le cadre idéal pour parler tout haut de ses sentiments personnels. Buloz la félicite : «Vraiment, mon cher George, vous êtes en progrès. Comme cela est poétiquement et vigoureusement écrit. Le monde ne vous rend pas encore la justice que vous méritez, vous serez grande dans l'avenir.» Ces pages lyriques placent, en effet, la romancière parmi les grands écrivains romantiques.

Au retour de Suisse, George s'installe à Paris. «A l'hôtel de France, où Madame d'Agoult m'avait décidée à demeurer près d'elle, ses conditions d'existence étaient charmantes. [...] Elle recevait beaucoup de littérateurs, d'artistes et quelques hommes du monde intelligents.[...] Mes amis devinrent aussi les siens. [...] Son salon improvisé dans une auberge était donc une réunion d'élite qu'elle présidait avec une grâce exquise et où elle se trouvait à la hauteur de toutes les spécialités éminentes par l'étendue de son esprit et la variété de ses facultés à la fois poétiques et sérieuses.» Ci-contre, Sand et la comtesse d'Agoult au Théâtre-Français. A gauche, Marie d'Agoult par George Sand.

Les «Fellows» et les «Piffoëls»

En 1836, elle décide de rejoindre Liszt et Marie d'Agoult à Genève où ils se sont réfugiés avec le jeune élève de Franz, Puzzi. A la fin de l'été, les «Piffoëls» (c'est ainsi que George et ses enfants se sont surnommés en raison de la taille de leur nez) se mettent en route pour la Suisse. Avec les «Fellows» ils forment une bande bruyante et commettent mille folies. Les touristes anglais sont scandalisés devant cette troupe d'hommes «chevelus comme des sauvages, où il n'est pas possible de reconnaître les hommes d'avec les femmes, les valets d'avec les maîtres»! Au retour en France, l'intimité subsiste, tout le monde se retrouve à Nohant pour quelques mois. Marie suscite chez George une admiration sans réserve, mais les deux femmes ne sont pas faites pour s'entendre. Marie d'Agoult, qui se décrit elle-même comme un caractère sec et lucide, souffre de ce qu'elle aperçoit de généreux et de positif chez George. Elle essaie d'écrire, mais les succès de la

romancière lui font de l'ombre.
Les relations des deux femmes se
distendront progressivement.

«Le mariage est un état contraire à toute espèce d'union et de bonheur»

La séparation avec Casimir est
inéluctable et difficile à réaliser.
Le château et les terres de Nohant
appartiennent à George, mais son mari
y est juridiquement le maître absolu.
Le divorce ne sera définitivement
prononcé qu'après plusieurs procès et
de nombreux épisodes tragi-comiques,
comme l'enlèvement de la petite Solange
par son père et une scène violente au
cours de laquelle Casimir menace sa
femme de son fusil. En juillet 1836
enfin, un traité signé entre les deux
époux met fin à cette longue procédure.
George, au comble du bonheur, se retrouve avec ses
enfants dans son cher Nohant, désormais sien.

La séparation
judiciaire des époux
Dudevant intervient en
1836. En 1869, Casimir
(ci-dessus) réclame la
légion d'honneur en
raison de ses «malheurs
domestiques qui
appartiennent à
l'histoire. Marié à
Lucile Dupin, connue
dans le monde littéraire
sous le nom de George
Sand, j'ai été
cruellement éprouvé
dans mes affections
d'époux et de père, et
j'ai la conviction d'avoir
mérité le sympathique
intérêt de tous ceux
qui ont suivi les
événements lugubres
qui ont signalé cette
partie de mon
existence»! Cette
étrange requête est
restée dans les papiers
de Napoléon III qui la
montrait à ses visiteurs.

Le progrès industriel provoque, dans la France de Louis-Philippe, un ardent désir de justice sociale. La pensée de George Sand s'ouvre vers de nouveaux horizons : elle se lance dans l'une des grandes batailles de sa vie et devient un écrivain engagé. Ce nouveau combat, s'il consolide de vieilles amitiés, ne lui épargne pas les pires attaques de la part de ses détracteurs.

CHAPITRE III

LE COMBAT POUR LE PEUPLE

En mai 1848, des manifestations, menées par la gauche la plus radicale, ont lieu près de l'Assemblée (ci-contre, défilé du 21 mai). Les chefs du mouvement socialiste sont emprisonnés et George Sand peut craindre d'être arrêtée. Mais Ledru-Rollin, membre du gouvernement provisoire, la protège (caricature ci-contre).

La Cause

Proche des libéraux dans sa première jeunesse, Sand se radicalise par la suite. Tout en partageant les convictions républicaines de Michel de Bourges, l'un des chefs de l'opposition avec qui elle aura une liaison en 1836, elle s'intéresse de près à la question sociale. La gauche se félicite de la voir devenir socialiste, sinon communiste. Les saint-simoniens se reconnaissent dans son œuvre, et tentent de la rallier à la Famille : en 1836, les membres de Paris lui envoient de touchantes étrennes, faites de leurs mains : vêtements, chaussures, bijoux, un mètre, une cravache... «Je conserverai vos dons comme des reliques, je parerai la table où j'écris des fleurs que les mains

Ouvrier typographe, Pierre Leroux (ci-contre) a créé un mouvement dissident du saint-simonisme. Dans le courant des idées du romantisme social qui se développe vers 1840, il associe la thèse évangélique de fraternité au principe de justice. Il défend l'idée que les artistes et les intellectuels ont un rôle capital à jouer dans la réconciliation des hommes, ce qui lui gagne l'admiration de Sand (page de droite).

LES CAPACITES SAINT-SIMONIENNES.

industrieuses de vos sœurs ont "tissues" pour moi», leur promet-elle. Mais Sand n'approuve pas leur culte pour Prosper Enfantin, leur «fanatisme pour des hommes et des noms propres» : «Je n'aime pas ce sentiment, je le trouve petit, ravalant et niais.» Elle se rallie à la branche républicaine des saint-simoniens dirigée par Pierre Leroux, fondateur d'un phalanstère à Boussac. Comme son «communalisme»

Sand a des sympathies pour les saint-simoniens (ci-dessus) «J'aime vos prolétaires [...] parce que je crois qu'il y a en eux la semence de la vérité, le germe de la civilisation future», leur écrit-elle.

LA REVUE INDÉPENDANTE

PUBLIÉE PAR

Pierre Leroux, George Sand, et Louis Viardot.

prône le partage des richesses, il ne répugne pas à quémander sans se lasser des subsides à ses amis. George l'aidera avec sa libéralité coutumière pendant de nombreuses années. Elle possède une fortune et une célébrité qui pourraient lui permettre de vivre largement, mais sa générosité, sa bourse toujours ouverte aux mendiants professionnels la conduisent à s'endetter. Pour des raisons d'économie, elle doit restreindre ses dépenses, renonçant à un manteau d'hiver ou à son séjour habituel à Paris.

Sand donne son argent, mais aussi son art et son temps à la Cause, et publie gratuitement ses romans à *La Revue indépendante* qu'elle a fondée en 1841 avec deux de ses amis. Afin d'atteindre un plus grand public, elle écrit des «bigarrures» pour les journaux.

Bien qu'elle se plaigne de ne pouvoir rédiger de façon rapide et concise, elle parvient cependant à fondre sa pensée dans le cadre contraignant de l'article, à trouver le ton et les mots qui font mouche.

En 1843, elle se lance dans une campagne de presse en faveur de Fanchette, une enfant muette abandonnée

Toujours généreuse, Sand fait vivre Leroux et sa nombreuse famille. Elle fonde avec son ami et Louis Viardot *La Revue indépendante* (ci-contre). Son orientation socialiste l'oppose à Buloz : celui-ci refuse de publier ses derniers romans qu'il juge trop engagés. Elle donne alors *Horace*, *Le Compagnon du Tour de France* et *Le Péché de M. Antoine* à la nouvelle revue, et y publie des articles en faveur des femmes et des opprimés.

dans la forêt. Elle fonde
L'Eclaireur en 1844 avec des
amis berrichons, prêche
l'idée sociale dans *La Vraie
République*, plaide pour les

SAMEDI 14 septembre 1844. [N° 1er] PREMIÈRE ANNÉE.

PRIX DE L'ABONNEMENT

L'ÉCLAIREUR

Journal des départemens de l'Indre, du Cher et de la Creuse.

Lundi 21 et Mardi 22 mai 1848. N° 57 et 58. Rue Coquillière, 12 ter.

LA VRAIE RÉPUBLIQUE

JOURNAL QUOTIDIEN, Rédacteur en chef : T. THORÉ.
POLITIQUE ET LITTÉRAIRE. PARIS...
Rue Coquillière, 19 ter. Collaborateurs : PIERRE LEROUX, GEORGE SAND, BARBÈS, etc.

Vers 1848,
l'ébullition des
idées se traduit par la
création de nombreux
journaux. Sand participe
avec ardeur à ce
mouvement. Elle
écrit dans *La Vraie
République* (ci-contre),
fonde *L'Eclaireur* (ci-
dessus) et multiplie
les pamphlets : *Aux
riches, Un mot à la
classe moyenne,
Lettre au peuple*.
Le gouvernement
provisoire la charge
de publier les *Bulletins
de la République*
dont elle rédige seule
plusieurs numéros
pour exposer le
programme du
nouveau régime.

femmes en publiant les *Lettres à Marcie* dans
Le Monde du misogyne Lamennais (choqué de ses
revendications, l'abbé censurera un de ses papiers...).
Elle se dépense sans compter pour la réforme sociale.

Les événements de 1848

A quarante-quatre ans, George
s'attelle à la rédaction de ses
Mémoires (*Histoire de ma vie*),
et passe ses nuits à recréer, avec
une passion jubilatoire, ses
souvenirs d'enfance. La
romancière n'a pas prévu
que la révolution de
1848 allait survenir
si brusquement.
Elle rejoint à Paris ses amis du
gouvernement provisoire, Ledru-Rollin,
Louis Blanc, Arago. Pendant plusieurs
semaines, elle connaît le charme des
assemblées générales fiévreuses, des
comptes rendus écrits sur le bout d'une
table au milieu des discussions de ses
camarades, la composition de *Bulletins*
hebdomadaires où elle aborde les
problèmes des opprimés, en particulier
ceux des femmes. Elle professe des idées
révolutionnaires, proches de celles que
proclame Karl Marx : «La plus grande
crainte ou le grand prétexte de

l'aristocratie, à l'heure qu'il est, c'est l'idée communiste», écrit-elle. Ne croirait-on pas lire la première phrase du *Manifeste* : «Un spectre hante l'Europe : le spectre du communisme»? Son influence sur les chefs du gouvernement est réelle, elle s'entremet résolument afin de faire nommer en province des hommes sûrs pour promouvoir la république.

Mais l'élan socialiste retombe vite, la révolution reflue, et George rentre se battre à Nohant pour faire gagner les élections aux républicains. Elle subit une première déception : le suffrage universel n'est pas compris du peuple. Les curés et les maires se sont mis à la tête des cortèges des villageois pour aller voter dans les chefs-lieux de canton, la gauche est battue, les bourgeois de La Châtre veulent brûler sa maison pour la punir d'être «communisque». Les journées de juin 1848 sonnent définitivement le glas de ses espérances : la République a tué ses prolétaires, que peuvent bien faire les socialistes lorsque le peuple méconnaît sa propre cause? Un instant découragée, George retrouve son

Sand est liée avec les deux chefs du gouvernement provisoire (ci-dessous), Ledru-Rollin et Louis Blanc. On se réunit secrètement dans le pied-à-terre qu'elle occupe rue de Condé. Elle écrit les comptes rendus et ne ménage pas ses efforts. En bas, la proclamation de la république, le 4 mai 1848. Page de gauche, au centre, une allégorie de la patrie reconnaissante aux ouvriers travailleurs.

énergie pour tenter de sauver ses amis républicains du bagne. Ses interventions auprès du prince-président sont désavouées par les proscrits eux-mêmes qui l'accusent de les déshonorer. Elle n'a pourtant demandé au gouvernement que «d'être impartial et juste et de ne pas regarder la pensée comme un attentat». Atteinte par une campagne de calomnie, Sand se défend vigoureusement : pour avoir échangé avant la révolution une correspondance avec l'anarchiste russe Bakounine, ses détracteurs prétendent qu'elle a possédé des lettres compromettantes qui auraient permis de l'expulser de France. Elle repousse l'accusation dans une lettre à Marx en juillet 1848. Bakounine lui-même dément les calomnies contre celle qu'il a «révérée avant

«Dans une situation comme celle où nous sommes, il ne faut pas seulement du dévouement et de la loyauté, il faut du fanatisme au besoin. Il faut s'élever au-dessus de soi-même, abjurer toute faiblesse, briser ses propres affections, si elles contrarient la marche d'un pouvoir élu par le peuple et réellement, foncièrement révolutionnaire. [...] Je ne saurais trop te recommander de ne pas hésiter à balayer tout ce qui a l'esprit bourgeois.» Cette lettre à l'avocat Frédéric Girerd aide à comprendre pourquoi George Sand faisait si peur à la bourgeoisie modérée, comme l'atteste la caricature ci-contre.

1848

même d'avoir fait [sa] connaissance», qui a été pour lui souvent et dans les moments les plus tristes de sa vie «une consolation et une lumière». Navrée de l'incompréhension de ses amis socialistes, Armand Barbès, Auguste Blanqui ou Mazzini, George se contente désormais de soutenir leur moral en exil ou en prison, puis elle retourne à la littérature.

L'éducation du peuple

«Relisez donc deux ou trois pages de *Jacques* et de *Mauprat*, dans tous mes livres jusque dans les plus *innocents*, jusque dans les *Mosaïstes*, jusque dans *la dernière Aldini*, vous y verrez une opposition continuelle contre vos bourgeois, vos *hommes réfléchis*, vos gouvernements, votre inégalité sociale, et une sympathie constante pour les hommes du peuple.»

Au plus fort de sa foi socialiste, George écrit des livres pour éduquer le peuple et délaisse les romans d'évasion, au grand désespoir de son éditeur. Les bonnes intentions ne font pas toujours les fidèles lecteurs : *Le Compagnon du Tour de France*, *Le Meunier d'Angibault*, *Le Péché de M. Antoine* n'ont pas de succès.

Consuelo cependant, histoire magnifiquement racontée d'une cantatrice qui rappelle Pauline Viardot, connaîtra une audience durable jusqu'à nos jours. Roman d'initiation, comme le sont les plus grandes œuvres de Sand, le livre raconte l'itinéraire d'une artiste qui trouve sa voie en vouant son existence à la musique. Le chant, art spirituel et

Auguste Blanqui, radical, chef de club (à gauche), emprisonné en 1839 au Mont Saint-Michel est libéré par la révolution de 1848. George Sand entretient une longue correspondance avec lui pendant ses séjours en prison.

En avril 1848, George Sand fonde *La Cause du peuple* (ci-dessous) qui devra interrompre sa parution, faute d'argent, au bout de trois numéros. Bien que Sand ne prononce pas les mots de «lutte de classe», elle se rapproche des conceptions de Marx sur le pouvoir révolutionnaire, et pose publiquement la question de savoir si la volonté unanime des

prolétaires n'a pas plus de valeur qu'une simple majorité électorale. Jusqu'alors Sand n'était que scandaleuse, elle devient en 1848 une femme dangereuse.

La petite Fadette, expression charnelle, aide les hommes à supporter la vie, les console et les délivre des maux qui les oppriment. *Consuelo* se rattache aux courants du romantisme allemand, de *La Flûte enchantée*, de *Wilhelm Meister* de Goethe, et nous touche encore aujourd'hui, comme il a ému les lecteurs impatients du feuilleton de 1844.

George Sand a été cataloguée, pendant cent ans, comme auteur exclusif de romans champêtres. On oublie trop souvent qu'elle s'est exercée à tous les styles : romans, pages autobiographiques, correspondance, écrits polémiques, théâtre. Sand a tout raconté. Les sujets se croisent et s'affrontent : la femme et le mariage, l'aristocratie et le peuple, le bonheur, la liberté, la fraternité... mêlant étroitement les idées et les images, inversant les rôles habituels. *Mauprat* annonce *Les Hauts de Hurlevent*, *Le Diable aux champs* fait écho aux *Comédies et Proverbes* de Musset, *Piccinino* dégage un parfum nervalien. Les héros de ses histoires d'amour interrogent leur temps, porteurs de messages idéalistes et humanitaires. L'extrême réussite, parfois,

MAUPRAT

PAR

GEORGE SAND.

TOME PREMIER.

PARIS
FÉLIX BONNAIRE, ÉDITEUR,
RUE DES BEAUX-ARTS, 15.

M DCCC XXXVII.

Mauprat est l'un des romans les plus lus de George Sand (ci-dessus, couverture de l'édition originale). Il a été écrit à une époque difficile de son existence marquée par le procès qu'elle mène contre son mari. Le livre raconte la formation d'un garçon qui discipline sa nature farouche sous l'influence de l'amour. Roman d'aventure, de formation, roman noir et roman champêtre : *Mauprat* est tout cela. Il a été accueilli avec admiration en 1837. La gravure ci-contre représente l'agression dramatique d'Edmée, blessée par l'un des Mauprat.

provient de leur inscription dans un monde poétique,
une nature en même temps précise et rêvée. Les
fantasmes de l'auteur apparaissent au détour des
pages, certaines lignes les laissent percevoir, sous
le masque de la métaphore, porte dérobée vers
l'inconscient sandien.

Les romans champêtres

Pourquoi le succès particulier des romans paysans,
les *Contes du chanvreur*? La série commence par
Mauprat en 1837 et se termine quinze ans plus tard
par des œuvres majeures : *Les Maîtres sonneurs,
François le Champi, La Petite Fadette*.

Les personnages de ces livres sont
d'authentiques héros populaires,
comme ceux des romans
de Dickens, Vallès, Hugo. Tandis
que ses confrères mettent en scène
le peuple des villes, George Sand raconte
l'histoire du peuple des champs.
Voix différentes, mais unies par
un intérêt profond pour les idées
généreuses.

Les Maîtres sonneurs, roman
de formation, roman de la
musique paysanne, peut être
considéré comme un des grands
livres de la littérature française.
Le héros, Joset, génie musical,
connaît un destin tragique, au
terme d'un voyage conduit par
son père symbolique, le Grand Bucheux.
Esclave de sa musique,
il conquiert la perfection
de son art mais
il demeurera un exclu.
George Sand réussit
dans cette œuvre
à établir un parfait
équilibre entre les
thèmes universels de
l'amour, la nature,
la tolérance, le voyage...

Les sujets pastoraux,
que George Sand
aborde après 1848
rassurent les bien-
pensants. La série des
romans champêtres
(couvertures ci-contre)
prend place dans les
collections pour enfants.
Les éducateurs n'ont
pas remarqué ce qu'il y
avait de subversif dans
le mariage de la
modeste Fadette avec
le riche fils du père
Barbeau. Ils n'ont pas
aperçu l'indécence du
chou «phallique», dans
les noces de *La Mare
au diable*, pas plus que
l'attachement ambigu
du Champi pour sa
mère adoptive. Le
Saint-Office, pourtant,
ne s'y trompe pas, et
met toute l'œuvre de
la romancière à l'index
en 1863.

La vérité de la musique atteint dans certaines pages un sens profond : puisque «la plaine chante en majeur, et la montagne en mineur» l'union des hommes de pays différents se fait à travers l'harmonie des sons.

«J'aurai ouvert la voie à d'autres femmes»

Au-delà des revendications personnelles qu'elle a inscrites dans ses premiers romans *Indiana* et *Lélia*, George Sand rejette les contraintes imposées par la morale bourgeoise sous Louis-Philippe, proclame son émancipation, écoute ses désirs et ses talents. Elle revendique et obtient la liberté de penser, d'écrire, de parler, de vivre, liberté fondée sur le travail et l'indépendance financière.

George Sand fera preuve d'audace, non de solidarité. Pour dénoncer les méfaits du mariage, pour réclamer un libre droit à l'éducation, au divorce, à la sexualité, elle se bat sans faiblir. Mais

S and refuse de suivre les codes de conduite de la bourgeoisie (caricature ci-dessus) : «Pour moi la liberté de penser et d'agir est le premier des biens. [...] Tout ce qu'on m'impose comme devoir me devient odieux, tout ce qu'on me laisse faire de moi-même, je le fais de tout cœur. [...] Ce qu'il me faut [...] c'est de la liberté».

VOIX DES

comment séparer les différents combats? *Indiana, Valentine, Lélia, Le Secrétaire intime, Léone Léoni, Jacques...* L'essentiel de ses romans «féministes» est écrit de 1832 à 1839.

On a peine à comprendre aujourd'hui l'émotion suscitée par ses livres en Europe, jusqu'en Amérique où son prestige ne cesse de croître durant le siècle. Comme effrayée des remous qu'elle a soulevés, Sand recule ensuite. Les préfaces d'*Indiana* qu'elle écrit en 1842 et 1852 visent à atténuer la portée de sa révolte. En 1848, elle rejette avec agacement l'offre

E n 1848, la *Voix des femmes* (ci-contre), fondée par Eugénie Niboyet, propose la candidature de George Sand aux élections. C'est un pied-de-nez aux hommes qui seuls ont le droit de vote. Mais elle refuse cette offre qu'elle juge saugrenue. La caricature en page de droite tourne en dérision le rôle des femmes dans la vie politique.

du journal socialiste, la *Voix des femmes*, d'appuyer sa candidature aux élections. Ayant réussi sans l'aide de quiconque, grâce à son courage, son travail et son talent, elle refuse toute connivence avec les féministes.

La bataille lui paraît dérisoire par comparaison à celle à mener pour le peuple : cela est certain, la révolution émancipera les femmes en même temps que les hommes! En attendant, ces dernières n'ont pas droit à l'espace public. D'ailleurs, «en admettant que la société eût beaucoup gagné à l'admission de quelques capacités du sexe dans l'administration des affaires publiques, la masse des femmes pauvres n'y eût rien gagné». Sans maturité politique suffisante pour voter, et tant que les femmes seront sous la domination de leur mari, elles ne présenteront pas les garanties d'indépendance nécessaires pour prendre part à la vie de la cité. Elles ne perdent pas grand-chose, les jeux politiciens sont ignobles : «C'est l'école de la sécheresse, de l'ingratitude, du soupçon et de la fausseté.» Musique connue... Que les femmes restent donc dans leur foyer, le combat doit porter seulement sur la transformation de leurs rapports avec les hommes. «Celles qui prétendent qu'elles auraient le temps d'être députés et d'élever leurs enfants ne les ont pas élevés

> **"Pour que la société soit transformée, ne faut-il pas que la femme intervienne politiquement dès aujourd'hui dans les affaires publiques? La femme étant sous la tutelle et dans la dépendance de l'homme par le mariage, il est absolument impossible qu'elle présente des garanties d'indépendance politique, à moins de briser individuellement et au mépris des lois et des mœurs cette tutelle que les mœurs et les lois consacrent."**
>
> George Sand
> *Correspondance*, 1848

elles-mêmes; sans cela elles sauraient que c'est impossible», étrange réflexion pour cette femme d'action.

Les contradictions d'une femme engagée

Sand ne parviendra pas à faire taire en elle le conflit entre Aurore et George. Comment l'aurait-elle pu d'ailleurs, sans modèle à suivre? Elle défend le droit à l'éducation des femmes, mais attribue à ses héroïnes des dispositions particulières pour les vertus «naturelles», dévouement, sacrifice, habileté ménagère. Imprégnée durant toute son éducation du modèle traditionnel, elle assume une double tâche : écrivain la nuit, elle se consacre à des besognes dites «féminines» le jour, soin des malades, leçons aux enfants, confection de pantoufles, de rideaux, confitures...

Bien sûr, les échanges intellectuels avec ses camarades masculins lui paraissent plus intéressants qu'avec leurs compagnes. D'une certaine façon, George endosse l'image que voient en elle certains confrères. Balzac écrit que Sand «est un homme, et d'autant plus un homme qu'elle veut l'être». Flaubert assure : «Il fallait la connaître comme je l'ai connue pour savoir tout ce qu'il y avait de féminin dans ce grand homme.»

Des critiques impitoyables

Il n'est pas facile, même à une romancière célèbre, de s'écarter de la norme imposée par son époque. Forcée de l'accepter en raison du succès de son œuvre, la société ne lui épargne pas les insultes. Le terme de «George-sandisme» apparaît en France et à l'étranger pour dénoncer les femmes qui osent imiter sa conduite jugée scandaleuse. Les exemples de Flora Tristan ou de Pauline Roland, jamais considérées comme respectables ou normales, sont sous ses yeux.

Ci-dessus, G. Sand par A. Charpentier. «Moi je suis artiste et très artiste si par là on entend aimer avec passion la musique, la sculpture, la peinture, la danse.» Elle fait classer par Mérimée les fresques «barbares mais très curieuses» de l'église romane de Nohant-Vicq.

On accuse les femmes indépendantes du XIXᵉ siècle de virilité et de frigidité. George se protège en refusant d'être un porte-parole. Elle le sera malgré elle. Par son exemple et par son œuvre, elle est, pour ses contemporaines, un symbole libérateur.

La rencontre avec Frédéric Chopin

George fait connaissance de Frédéric Chopin en 1837. Beaucoup de choses les séparent. Chopin est un homme distant, aux manières délicates, un écorché vif que «le pli d'une feuille de rose, l'ombre d'une mouche» font saigner. Il ne se trouve bien que dans un salon, entouré de femmes blondes et éthérées qui l'écoutent avec recueillement. Ses opinions conservatrices et antisémites sont à l'opposé de celles de la jeune femme. Frédéric pressent qu'il va trouver en George une interlocutrice privilégiée, une artiste à même d'apprécier pleinement sa musique, une conseillère cultivée, un auteur en proie comme lui aux doutes et aux douleurs de la création, une femme forte qui protègera son inspiration. Séduit, il se livre au vent qui souffle: «Je l'ai revue trois fois. Elle me regardait profondément dans les yeux, pendant que je jouais. C'était de la musique un peu triste, légendes du Danube; mon cœur dansait avec elle au pays. Et ses yeux dans mes yeux, yeux sombres, yeux singuliers, que disaient-ils? Elle s'appuyait sur le piano et ses regards embrasants m'inondaient...»

De même que la littérature avait réuni Sand et Musset, la musique va rapprocher la romancière et Chopin. Pour lui, l'esprit enchanté du piano, l'appel mystérieux de l'inspiration doivent absorber l'existence. Pour elle, la musique est le plus beau des arts... la langue universelle» qui la «jette dans des extases et des ravissements qui ne sont pas de ce monde».

Lorsque George est amoureuse, elle a besoin de cacher au

Enfant, George a appris la musique savante, la harpe, le piano, le chant, mais elle connaît aussi la musique populaire. Elle remarque que les airs berrichons emploient des dissonnances. Pendant ses séjours à Nohant, Chopin (ci-dessous) transcrit «ces combinaisons mélodiques d'une étrangeté qui paraît atroce et qui est peut-être magnifique».

loin son bonheur. La famille Piffoël et le musicien embarquent pour Majorque en novembre 1838. Très vite, les désillusions noient le rêve des voyageurs : le décor pittoresque de la chartreuse de Valldemosa, où ils se sont installés, est magnifique, mais les pluies torrentielles de l'hiver moisissent les murs, les chambres n'ont pas de cheminées et sont inchauffables, le climat humide est malsain pour Chopin qui tousse de manière inquiétante. Dans l'adversité, il se révèle un compagnon difficile : «Doux, enjoué, charmant dans le monde, il était désespérant dans l'intimité exclusive.» George se fait cuisinière, institutrice, infirmière, sans cesser d'écrire, pendant que Chopin crache le sang, et que les enfants, enchantés, courent dans les cloîtres au clair de lune. C'est cependant une période féconde pour le musicien qui compose pendant ce séjour ses plus belles œuvres : la série des vingt-quatre *Préludes*, op. 28, une *Ballade*, une *Polonaise*, musiques remplies d'harmonies évocatrices.

Chopin a marseille ne s'amuse guères. mai 1839

En 1838, George Sand passe l'hiver aux Baléares, à la chartreuse de Valldemosa (ci-dessous à droite) avec Chopin et ses enfants. Les habitants sont peu hospitaliers, menés par un clergé hostile à la scandaleuse Française (en bas à gauche, le curé explique ce qu'est la neige «comme si nous ne le savions pas», note ironiquement George Sand sur cette caricature). La santé de Chopin empire et lorsqu'il revient à Marseille, il crache le sang. Moqueuse, Sand note dans le dessin de gauche qu'il «ne s'amuse guère». Pourtant, «c'est là qu'il a composé les plus belles de ces courtes pages qu'il intitulait modestement des préludes. Ce sont des chefs-d'œuvre. Plusieurs présentent à la pensée des visions de moines trépassés et l'audition des chants funèbres qui l'assiégeaient; d'autres sont mélancoliques et suaves; ils lui venaient aux heures de soleil et de santé, au bruit du rire des enfants sous la fenêtre, au son lointain des guitares, au chant des oiseaux sous la feuillée humide, à la vue des petites roses pâles épanouies sur la neige».

Visite du curé de Valldemosa qui explique ce que c'est que la neige (comme si nous ne le savions pas.)

«Des gouttes de pluie résonnaient sur les tuiles sonores de la chartreuse, mais elles s'étaient traduites dans son imagination et dans son chant par des larmes tombant du ciel sur son cœur», écrit George dans un chapitre célèbre d'*Histoire de ma vie*.

La liaison avec Chopin apporte à la romancière la stabilité dont elle avait besoin. Pendant huit ans, tous deux vivent à Nohant de façon presque conjugale. Mais Frédéric est difficile à vivre, jaloux et tyrannique. En 1846, des tensions se font sentir. Les enfants ont grandi, confrontés à la difficulté de tracer leur vie dans l'ombre d'une mère célèbre et anticonformiste.

••Solange [ci-contre] est destinée à l'absolu dans le bien ou dans le mal. Sa vie sera pleine de luttes, de combats. Elle ne se pliera pas aux règles communes; il y aura de la grandeur dans ses fautes, de la sublimité dans ses vertus. Maurice [ci-contre, à gauche] me paraît former avec sa sœur une antithèse vivante. Ce sera l'homme du bon sens, de la règle, des vertus commodes. [...] Il aura du goût pour les plaisirs tranquilles et pour la vie de propriétaire, à moins qu'un talent transcendant ne le jette dans la vie artistique, ce qui est très possible.**••**

Marie d'Agoult

Maurice, qui a étudié la peinture dans l'atelier de Delacroix, se révèle un artiste nonchalant et velléitaire, un compagnon attentif, très attaché à sa mère. La nature de Solange, «passionnée et indomptable», rend la relation mère-fille difficile. La jeune fille se marie sur un coup de tête, à dix-neuf ans, avec le sculpteur Clésinger, union qui apporte le malheur dans la famille. La croyant plus riche qu'elle ne l'est, Clésinger a escompté que sa belle-mère paierait ses nombreuses dettes. Très vite, des scènes violentes éclatent; on en vient aux mains, et Solange rompt avec sa mère. Chopin prend le parti de la jeune femme, ce qui remplit George d'une profonde amertume. S'est-elle sentie menacée par sa fille? Elle a pensé que le musicien était depuis quelques années, sans s'en rendre compte, amoureux de Solange.
La romancière consomme leur séparation : Chopin ne reviendra plus à Nohant.

«Chère mignonne», écrit George Sand à Pauline Viardot (ci-dessous). Cantatrice talentueuse, Pauline a épousé Louis Viardot, grand ami de George. Cette union n'a fait que renforcer l'affection entre les deux femmes.

Le refuge des amis

Son compagnon l'a quittée, sa fille est devenue une ennemie. George Sand perd son optimisme. Du bruit et de l'éclat des ruptures, suivant son habitude, elle fait des livres, et la Nathalie de *Mont-Revêche*, en 1852, ressemble comme une sœur à Solange, avec son «cerveau aussi froid que son cœur».

Le cœur de George, en revanche, s'ouvre plus que jamais aux amis. Elle s'attache à Pauline Viardot, la célèbre cantatrice sœur de la Malibran, qu'elle considère comme sa fille et dont elle admire sans réserve le talent. Elle tisse des liens amicaux avec Emmanuel Arago, Louis Hetzel, Dumas fils, Théophile Gautier, Flaubert et Balzac.

Ce dernier juge que *La Mare au diable* est «un chef-d'œuvre». Mais Mme Hanska s'inquiète de cette amitié féminine, et Balzac s'éloigne, non sans que George lui ait fourni la matière de son roman *Béatrix*, dans lequel l'histoire de Liszt et Marie d'Agoult est racontée avec férocité. Sans doute a-t-elle fait preuve de plus de générosité par le passé!

Lors d'un séjour à Nohant en 1838, Sand et Balzac (ci-dessus) discutent ensemble toute la nuit sur le problème de la condition des femmes : «J'ai plus vécu pendant ces trois ou quatre causeries, le mors aux dents, que je n'avais vécu depuis longtemps», constate-t-il. Il la considère comme un auteur de premier plan, ainsi qu'il l'écrit à Mme Hanska : «L'on jette de la boue à *Jeanne* de G. Sand, qui certes est un chef-d'œuvre; lisez cela; c'est sublime! Je lui envie *Jeanne*! je ne ferai pas *Jeanne*, c'est d'une perfection, le personnage s'entend, car il y a bien des ridicules; c'est mal composé; les accessoires sont (quelques-uns) indignes de cette magnifique page. Le paysage est touché de main de maître.» Avec *La Mare au diable* (ci-contre), Sand trouve un ton à la fois réaliste et poétique pour raconter la naïve histoire d'une bergère berrichonne.

GEORGE SAND.

LA MARE
AU DIABLE

PARIS
DESESSART, ÉDITEUR,

George Sand s'est toujours plu à la campagne, chérissant par-dessus tout son cher Nohant, ce havre où elle aime vivre, entourée d'amis et d'enfants. Elle fait preuve d'une inépuisable vitalité qui lui permet de se consacrer aussi bien à des parties de campagne avec ses hôtes qu'à sa correspondance, ses romans et son œuvre théâtrale.

CHAPITRE IV
LES DERNIÈRES FLEURS

À partir de 1849, Sand écrit des scénarios pour le théâtre de Nohant (à droite, une représentation par Alexandre Manceau) et des pièces pour les théâtres parisiens (ci-contre, caricature de Bocage, le directeur de l'Odéon, «que la 100ᵉ représentation de *François le Champi* engraisse»).

«J'aime ce Nohant de passion»

La chambre bleue (ci-contre) est la dernière que George ait occupée à Nohant. «Je couds des rideaux et des courtepointes, le tout à l'effet de m'installer ici dans une chambre plus petite et plus chaude que celle où je travaille. Je me suis tapissée en bleu tendre parsemé de médaillons où dansent de petites personnes mythologiques», écrit-elle en 1857. Ci-dessous, la maison vue du jardin avec les cèdres plantés lors de la naissance de Maurice et de Solange.

En 1841, Eugène Delacroix vient passer quelques jours en Berry. Il prend la poste à Paris à 8 heures du matin, couche le soir à Orléans dans une auberge. Arrive à Nohant le lendemain dans l'après-midi. La difficulté des transports ne rebuté pas les invités, mais en 1847, lorsque le chemin de fer parviendra jusqu'à Châteauroux, le voyage sera bien facilité. George Sand lance des séries d'invitations afin de distraire Chopin qui regrette parfois les salons de la capitale lorsqu'il est à la campagne. Quant à elle, le succès, maintenant solidement établi, ne l'a pas rendue mondaine. «Contente seulement au milieu des prairies et des bois», elle passe des saisons entières en Berry, ne se rendant à Paris qu'une ou deux fois par an, de mauvaise grâce, pour assister aux répétitions de ses pièces ou rencontrer ses éditeurs.

Sand comprend admirablement les besoins de ses invités. Chopin ne compose qu'à Nohant. A Paris

il n'en a pas le loisir. Son hôtesse s'efforce de protéger sa tranquillité et de lui procurer tout le confort : en 1841, elle demande à Camille Pleyel de lui envoyer, dans le plus grand secret, un piano en location, afin de le surprendre agréablement lorsqu'il arrivera dans sa chambre. Les étés que passe le musicien en Berry de 1839 à 1846 sont féconds. George l'écoute, l'encourage, admire les chefs-d'œuvre surgis de ses doigts. Liszt, charmé lui aussi d'avoir trouvé dans le salon un piano à queue venu spécialement de Paris, passe des journées entières à composer.

George est tout aussi attentive à ses amis peintres. Delacroix est installé à demeure, au calme, dans le petit atelier aménagé pour lui; son chat Cupidon est également convié. L'artiste gardera un heureux souvenir de ses après-midis passés à peindre des bouquets de fleurs, en puisant son inspiration à l'écoute de la musique jouée par Chopin qui lui parvient par la fenêtre.

Après le dîner, chacun s'installe autour de l'immense table du salon, et s'adonne à son occupation favorite. A onze heures, une domestique apporte une dizaine de bougeoirs ou de lampes

à huile et la cérémonie de la distribution commence. On monte en procession le grand escalier, en se souhaitant le bonsoir. George (ci-dessus), qui a travaillé toute la nuit, n'apparaît qu'au déjeuner du lendemain et consacre son après-midi aux amis.

Certains invités se trouvent si bien
à Nohant qu'ils s'y installent :
le peintre Lambert, ami de
Maurice, arrive en 1844 pour un
mois de vacances à la campagne;
dix ans plus tard il est toujours là.

Les solitaires endurcis se font seuls tirer
l'oreille : Flaubert trouve longtemps les prétextes les
plus divers pour se dérober au voyage, avant de se
décider en 1869 à venir passer Noël avec toute la
famille. George l'a averti qu'il trouvera une maison
«bête et heureuse» car elle vient de terminer son
dernier roman et c'est le temps de la récréation après
le grand travail. Mais il ne goûte pas les calembours
de Maurice et ses amis, critique le théâtre de
marionnettes et ne parvient pas à avoir une
conversation sérieuse avec son hôtesse. Au bout
de quatre jours il repart, sans avoir apprécié les
réjouissances de Nohant. Il faut dire qu'il règne
parfois dans la maison un humour de rapin : on sème
dans les lits du crin coupé, on fait peur aux invités
avec des fantômes, on les réveille à deux heures
du matin avec des sérénades, on leur jette des
seaux d'eau à la tête.

Lorsque la
maisonnée part se
baigner dans la Creuse
toute proche (dessin
ci-dessous), George,
couchée dans le sable,
de l'eau jusqu'au
menton, fume son
cigare. Cette
occupation
tranquille lui
permet de laisser
galoper son
imagination,
et d'inventer
le canevas
de ses
prochains
romans.

Un rituel immuable

Lorsque George Sand est dans le feu
d'un roman, elle se met au travail
au moment où la maisonnée cède
au sommeil. Elle noircit du papier
jusqu'à six heures du matin, rien
ne remplaçant pour son

inspiration la quiétude absolue de ces heures nocturnes. Sa tâche accomplie, elle tombe sur son oreiller et dort jusqu'à midi. Jusqu'à son réveil tout le monde marche sur la pointe des pieds dans les couloirs. Encore endormie au déjeuner, elle ne sort

Les figures de l'éventail ci-contre sont dues à Auguste Charpentier, le paysage est de Sand. Au centre : George, Chopin représenté en oiseau posé sur son genou, Delacroix de face, Liszt de profil. A droite : Solange en lion. A gauche : Maurice à quatre pattes portant sur son dos des ailes

que peu à peu de son engourdissement. L'après-midi appartient alors aux amis et aux distractions. On part souvent courir dans la campagne, on se baigne dans la Creuse toute proche. Lors d'une de ses excursions, George découvre le pittoresque village de Gargilesse, au bord de la Creuse. Elle s'installe dans une petite maison de paysans pour échapper de temps en temps au poids de la célébrité.

Chaque année, elle fait une nouvelle découverte : botanique, astronomie, entomologie… La dernière tocade de George Sand, en 1856, est d'apprendre la minéralogie. Maurice préfère les papillons. A la miellée, lorsque les insectes butinent, d'un coup de filet il en capture dix, et rapporte des aurores, de jolies noctuelles et même un matin un bel argus vert. En automne on part ramasser des champignons, remplissant d'immenses paniers de cèpes et d'oronges que la cuisinière fait sécher pour l'hiver.

Le soir après le souper, on se réunit autour d'une grande table couverte jusqu'à

de papillon. Les autres personnages sont des hôtes de George Sand. L'éventail témoigne de la gaieté qui règne à Nohant. Lorsque la famille va pique-niquer dans un bois ou dans quelque ruine, d'une galette et de champagne frappé, le chien Fadet (à gauche en haut, *Fadet facteur*) gambade autour du groupe, on fait chauffer du café avec du bois mort et des feuilles sèches, puis tous s'égaillent pour dessiner ou herboriser.

terre d'un tapis confectionné par l'hôtesse avec du damas de laine brun doublé d'un lambrequin. Suivant les années, Maurice écrit des canevas de pièces de théâtre ou caricature les convives, Lambert dessine des fleurs et des animaux, Chopin copie de la musique, Delacroix met la dernière main à *L'Education de la Vierge* qu'il compte laisser à Nohant, George refait une doublure pour un bonnet de tricot qu'elle lui destine, on lit à haute voix les aventures d'*Œil-de-lynx* de Fenimore Cooper, suivies avec passion par les convives. Quant à Solange, qui prend des leçons avec Chopin, elle joue du piano en sourdine. Certains soirs Frédéric s'amuse : il se tourne vers la glace à la dérobée, arrange ses cheveux et sa cravate, et se montre subitement transformé en Anglais flegmatique ou en vieillard ridicule, à la plus grande joie de ses amis.

George Sand goûte la douceur d'avoir un nouveau compagnon, Alexandre Manceau (ci-dessus). «Je l'aime, je l'aime de tout mon cœur. J'ai quarante-six ans, j'ai des cheveux blancs, cela n'y fait rien. On aime les vieilles femmes plus que les jeunes je le sais maintenant.»

Ecrire encore, écrire toujours : il faut bien entretenir Nohant

George Sand passe ses nuits à travailler ses romans, et elle trouve encore le temps de cuire une quarantaine de livres de confiture de prunes, parce

qu'on «ne peut pas confier cette besogne : il faut la faire soi-même et ne pas la quitter d'un instant». George estimera toujours que diriger une maison est une tâche aussi sérieuse que de faire un livre.

En 1850, elle rencontre le graveur Alexandre Manceau. Leur liaison durera quinze ans et ne sera rompue que par la mort.

Manceau est arrivé, lui aussi, comme d'autres, pour passer quelque temps chez son ami Maurice, et il est resté là, discret, dévoué et fidèle. Il est devenu le secrétaire et l'homme de confiance.

Maurice prend ombrage de cette présence qui le relègue au second rang dans la maison. De caricatures rageuses en réflexions désagréables, l'atmosphère devient à la longue irrespirable à Nohant. Il n'est pas question pour George de se séparer de Manceau. Elle décide de quitter le Berry avec lui.

Une belle-fille chérie : Lina Calamatta

Maurice se marie enfin avec Lina Calamatta, fille d'un graveur italien, grand ami de George. C'est une «petite Romaine pur sang [...] crépue, mignonne, fine, une voix charmante, une physionomie. Elle est aimable et vraie, et j'en raffole [...] L'avenir sourit», écrit Sand avec enthousiasme. Cette belle-fille chérie devient sa fille de cœur. Solange, sa fille par le sang, passe d'un amant à l'autre et fait un procès en séparation à son mari, laissant son enfant pour de longs mois à Nohant. Arguant de son droit paternel, Clésinger l'enlève pour la mettre en pension. Jeanne, que ses parents se disputent comme un vulgaire paquet, attristée de quitter le nid de Nohant, tombe malade. Son père commet une imprudence irréparable en la

Maurice (ci-dessous) se marie avec Lina Calamatta (à gauche). George est heureuse : «Je sens bien que je te serai une mère véritable car j'ai besoin d'une fille et je ne peux pas trouver mieux que celle du meilleur de mes amis», écrit-elle. Lina répond à son affection : «Je me suis mariée avec lui parce que je l'adorais, elle», avouera-t-elle plus tard.

Le paysage en page de gauche, appelé par Sand «dendrite», est créé au moyen d'une tache de peinture. Il «produit des nervures parfois curieuses. Mon imagination aidant j'y vois des bois, des forêts ou des lacs et j'accentue ces formes vagues produites par le hasard».

THÉÂTRE

Le Café chantant.

faisant sortir malgré la fièvre : la petite fille meurt quelques jours plus tard. Sa disparition laisse George totalement désemparée. Seule la naissance des deux filles de Maurice, Aurore et Gabrielle, adoucira son immense chagrin. Elle s'occupera des fillettes avec délice, appliquant des idées fort modernes sur l'éducation. En un temps où les enfants sont soumis à une discipline de fer, enfermés dans des collèges qui ressemblent à des prisons, obligés d'écrire cinq cents fois la même phrase en guise de punition, George met en pratique à Nohant l'attention, l'indulgence, l'éveil progressif de l'esprit par des activités pédagogiques. Elle revendique la même exigence intellectuelle pour les filles que pour les garçons, convaincue

❝Nous menons une vie de cabotins. Nohant n'est plus Nohant, c'est un théâtre, mes enfants ne sont plus mes enfants, ce sont des artistes dramatiques; mon encrier n'est plus une fontaine de romans, c'est une citerne de pièces de théâtre. [...] Le théâtre est grand comme un mouchoir de poche, le public se compose de cinquante personnes, ni plus ni moins, tous amis intimes, domestiques ou paysans du voisinage [...] Enfin j'ai fait trois pièces cet été, dont deux ont été jouées par nous, refaites et rejouées. Cela m'est bien utile, je vois ma pièce, je la juge, et quand je n'en suis pas contente, je la bouleverse. Vous verrez, je pense, mes trois pièces cet hiver.❞
George Sand,
Correspondance, 1851

E NOHANT.

que les hommes condamnent la femme à des besognes insignifiantes pour la garder en tutelle et l'empêcher «d'accaparer par sa vertu l'ascendant moral sur la famille et sur la maison».

«Le théâtre est la seule chose un peu curieuse de notre maison...»

Nohant est particulièrement animé lorsque la famille fait du théâtre. Une véritable folie s'empare de la maison en 1847. Au début il ne s'agit que d'un simple divertissement de salon : on crée des costumes dans de vieux rideaux, Chopin improvise au piano pendant que les acteurs miment et dansent des ballets comiques. Lorsque les personnages apparaissent, il adapte son thème selon sa fantaisie, «du plaisant au sévère, du burlesque au solennel, du gracieux au passionné». George comprend vite le parti qu'elle peut tirer de ces amusements d'amateurs. Elle se met à écrire des pièces entières, les essaye sur le petit théâtre de la maison. Des comédiens de Paris, Bocage, Sully-Lévy ou Mlle Fernand, guident les acteurs de la famille et règlent les effets comiques ou tragiques de la pièce. Comme dans les vrais théâtres on invite un public de privilégiés à la générale : cousins, amis et voisins. Les domestiques sont là, leur fraîcheur est restée intacte, ils demeurent figés d'étonnement et d'admiration, rient, pleurent ou tremblent sans contrainte, et tiennent au besoin un rôle dans la pièce.

En 1847, Maurice et son ami Lambert ont l'idée de créer un théâtre de marionnettes au rez-de-chaussée (page de gauche en bas, une représentation; en haut, une affiche). Ils donnent libre cours à leur imagination et créent des mélodrames noirs aux titres évocateurs : *Robert le maudit*, *L'Ermite de la marée montante*, *Le Cadavre récalcitrant*. *Le Diable aux champs*, roman de 1852, décrit ces soirées passées à faire «parler et gesticuler avec les doigts de leurs mains tout un monde de guignols sans jambes et vus à mi-corps, de la façon la plus divertissante» (ci-dessous, Maurice montreur de marionettes. Ci-contre et à gauche, ses dessins pour illustrer les spectacles).

La scène du théâtre de marionnettes (page de gauche, en haut) se compose d'un châssis de bois garni d'étoffe sur lequel on plante les décors. George Sand a cousu les habits des personnages (ci-dessous). Maurice (ci-contre) anime les marionnettes (page de gauche, en bas) et dessine les programmes (à gauche). Effets d'éclairage, lointains neigeux, reflets d'étoiles sur l'eau, machineries, accessoires réalistes, rien n'y manque.

Costumes de scène

"Tous les soirs j'ai un ballet à composer, et à écrire. On se costume en conséquence, je suis l'orchestre qui conduit la pantomime au piano, sur les airs variés. [...] J'écris la pièce pendant le dessert, on apprend les rôles pendant le café. On est costumé à 10 heures, c'est le plus long et ce qui amuse le mieux, [ici, dessins de Maurice pour les costumes de divers personnages] la pièce est jouée à minuit [...]. Quelqu'un qui arriverait au milieu de cela croirait rêver."

George Sand,
Correspondance,
1851

Du théâtre de Nohant au théâtre de l'Odéon

La révolution de 1848 est fatale aux affaires de
presse, la censure s'exerce lourdement, le feuilleton
périclite. George espère gagner de l'argent en écrivant
des pièces. *François le Champi* sera le début d'une
longue série. Mais la scène n'est pas un milieu de
tout repos. Certes, en cas de réussite, il en coûte
moins de peine que pour les romans, mais il a fallu
subir auparavant les exigences et les contraintes
imposées par les directeurs de théâtre, les caprices
des acteurs, l'incompréhension des critiques. Pour
Cosima, les comédiens, mécontents pour d'obscures
raisons de préséance, mettent de la mauvaise volonté
à répéter, ont la grippe, se plaignent. La générale
arrive : George, «fatiguée à mourir des répétitions,
du froid, de la salle vide que sa pièce ne remplira ni
réchauffera», refuse qu'on place des claqueurs au
centre du parterre et s'agite pour donner des loges
aux amis. Ils sont là : Balzac, Marie d'Agoult,
Planche, Sainte-Beuve, Dumas, Rachel, Henri
Monnier. Mais on sent l'hostilité de la salle avant
même le lever du rideau. Le public a décidé de faire
payer à Sand ses romans scandaleux, ses articles

Dumas fils et
George Sand
adaptent *Le Marquis
de Villemer* pour la
scène. C'est un succès
(ci-dessous, le public
du théâtre de l'Odéon
en 1869. On aperçoit
Dumas père et fils,
George Sand, Théophile
Gautier…). Les deux
amis ont une même
vision morale de la
société et échangent
des sujets. «Alexandre
vient à deux heures.
Je lui lis *Jean*. Ah! quel
bonheur! Il est content
sur toute la ligne! Et je
ne lis pas trop mal. Il
trouve que c'est franc,
amusant, intéressant
et bien fait. Il me
donne trois conseils
excellents pour la
pièce. Comme il voit
vite et clair et comme
il sait trouver le
remède!»

immoraux et révolutionnaires, sa vie choquante. La pièce est huée et sifflée, chaque phrase soulève des ricanements et des exclamations d'indignation. Les acteurs, désorientés par ce mauvais accueil, perdent la tête et oublient leur texte. George garde seule son calme, l'incident lui paraît burlesque.

En 1851, *Claudie* lui donne une revanche à la Porte Saint-Martin. Succès complet : applaudissements, trépignements, cris d'enthousiasme, salle comble, rien n'y manque. Malgré les vicissitudes, Sand persévère pendant vingt-cinq ans.

En 1864, *Le Marquis de Villemer* connaît un triomphe à l'Odéon, les gens se battent sur la place. C'est «une tempête d'applaudissements d'un bout à l'autre, à chaque mot, et si spontanée, si générale qu'on coupe trois fois chaque tirade», écrit George à son fils. L'Empereur pleure ouvertement. C'est «un

Sand (ci-dessus, détail) a connu plusieurs succès au théâtre et nombre d'échecs. Doutant de ses aptitudes à tenir le public en haleine, elle se fait aider par Dumas fils.

L'idéalisme des romans de Sand (ci-contre par Nadar, page de droite la famille Sand devant Nohant) est violemment critiqué par les écrivains de la nouvelle génération : Zola, Baudelaire, Barbey d'Aurevilly. Les fidèles amis, Dumas fils, Taine et Renan, prennent sa défense. Un sentiment profond la lie à Flaubert malgré leur différence d'âge : il est de dix-sept ans son cadet, et ils s'écrivent des lettres pleines de tendresse et d'amitié : «L'individu nommé G. Sand [...] a le grand plaisir de t'aimer de tout son cœur, de ne point passer de jour sans penser à l'autre vieux troubadour, confiné dans sa solitude en artiste enragé, dédaigneux de tous les plaisirs de ce monde. [...] Nous sommes, je crois, les deux travailleurs les plus différents qui existent, mais puisqu'on s'aime comme ça, tout va bien.» Bien que Sand, avec sa facilité de plume, comprenne mal les angoisses littéraires de son «troubadour», ces deux amis, aux personnalités opposées, s'enrichissent de leur expérience, se comprennent et s'admirent.

succès comme on n'en a jamais vu [...] une masse compacte qui n'avait pu entrer occupait la place, les rues environnantes et la rue Racine jusqu'à ma porte».

Proche parfois du théâtre de mœurs de Dumas fils ou d'Augier, l'œuvre dramatique de Sand est influencée par les discussions qui agitent le monde de cette fin de siècle. Comme ces auteurs, elle peint les drames psychologiques, les problèmes de société, le malheur d'être sans père, mal marié ou amoureux sans espoir.

«Laissez verdure»

La guerre de 1870 vient troubler cette vie de travail. George s'alarme de la victoire de l'armée allemande. A Paris la révolution est déclarée, mais la vieille dame ne comprend plus les Républicains radicaux. Les nouvelles ne parviennent qu'avec retard en Berry où l'on reçoit un écho déformé des événements.

Comme bien d'autres à l'époque
–Zola, Goncourt, Leconte de Lisle,
Daudet, Flaubert, Feydeau...
–elle ne discerne pas les idées, parfois
généreuses, qui mènent les hommes
de la Commune, car elle est horrifiée
par leurs violences. Il ne s'agit pas
pour elle de renier les aspirations de
1848. A soixante-six ans on ne croit
pas «aux révolutions brutales mais
aux réformes sages et progressives».
Un seul sourire au milieu des
nouvelles désastreuses : un ballon,

La célèbre table du
salon (ci-dessus)
résume toute la vie à
Nohant. «Elle a prêté
son dos patient à tant
de choses! Ecritures
folles ou ingénieuses,
dessins charmants ou
caricatures échevelées,
études de fleurs d'après
nature, souvenirs de la
promenade du matin,
préparations
entomologiques,
cartonnages, copie
de musique, prose
épistolaire de l'un,
vers burlesques de
l'autre, amas de laines
et de soies de toutes
couleurs pour la
broderie, parties
d'échecs ou de piquet,
que sais-je? Tout ce
que l'on peut faire à la
campagne, en famille,
à travers la causerie,
durant les longues
veillées de l'automne
et de l'hiver.»

à mon Ed. Rodrigues

Voilà le portrait de ma maison à Palaiseau. G. Sand on y pense à vous.

nommé *George Sand* en son honneur, évacue les habitants de la capitale assiégée. Rédigeant comme toujours des livres pour apaiser ses douleurs, elle publie en 1871 le *Journal d'un voyageur pendant la guerre*, «symphonie de la guerre, de l'idéal, du bon sens et de la justice», juge son ami Dumas fils.

Après tous ces bouleversements, l'optimisme naturel de George Sand renaît, nourri de son appétit de vivre : «Il faut dire que la France est folle, l'humanité bête, et que nous sommes des animaux mal finis; il faut s'aimer quand même, soi, son espèce, ses amis surtout.» La mort a effacé bien des noms dans son cœur, mais les enfants sont là, toute une jeunesse l'entoure : après tout, Dieu n'a pas «fait ce qui est bon pour qu'on s'en prive»! Elle se met au piano pour accompagner les danses, confectionne des jardins

George Sand vit généralement à Nohant, entourée des siens (ci-dessous). Elle possède aussi deux autres maisons. Gargilesse est situé dans un coin pittoresque, où la Creuse coule en torrent entre des rochers abrupts. On y mène une vie rustique dans une minuscule maison de paysans. La jolie demeure de Palaiseau, près de Paris (à gauche) est liée à de douloureux souvenirs. Sand s'y installe en 1864 avec Manceau atteint de tuberculose. Elle reste avec lui jusqu'à sa mort, en 1865.

de mousse et de rochers avec ses petites-filles,
s'émerveille devant les bonheurs quotidiens :
le jardin plein de fleurs, les déguisements du
mardi-gras, le concert des rossignols et des fauvettes.
Et à soixante-dix ans elle se baigne toujours dans
l'Indre fin octobre! «Que la vie est bonne quand
tout ce qu'on aime est vivant et grouillant!» écrit-
elle à Flaubert.

En mai 1876 sa santé s'altère, George est prise de
crampes d'estomac persistantes, atteinte sans doute
d'un cancer à l'estomac. Ses souffrances sont atroces
et ses enfants, désemparés, envoient chercher
plusieurs médecins. Le soir du 7 juin, pressés autour
de son lit, ils l'entendent souffler : «Adieu, adieu, je
vais mourir... Laissez verdure.» Ce sont ses dernières
paroles, elle meurt quelques heures plus tard.

Des paysans portent le cercueil jusqu'au cimetière,
accompagnés sous la pluie d'une foule du pays, et
d'amis arrivés en hâte de Paris : Renan, l'éditeur
Calmann-Lévy, le prince Jérôme-Napoléon, Flaubert
en larmes. Sa tombe repose dans un coin du parc de
Nohant, mitoyen du cimetière du village.

Lorsque leur grand-mère meurt, en 1876, Aurore (ci-dessus), la fille aînée de Maurice, a dix ans et sa sœur Gabrielle (à gauche), huit. La première se marie en 1889 avec le peintre Frédéric Lauth. Gabrielle épouse en 1890 un professeur de dessin italien, Romeo Palazzi. Elle meurt jeune, en 1909. Aucune des deux n'aura d'enfant. Aurore vivra à Nohant jusqu'à sa mort, en 1961, après avoir légué la maison à l'Etat, en 1952.

TÉMOIGNAGES
ET DOCUMENTS

Georges Lubin : histoire de sa vie

L'édition de la Correspondance *de George Sand compte aujourd'hui vingt-six tomes. Cette monumentale entreprise est le fruit du travail persévérant de Georges Lubin qui lui a consacré sa vie. Depuis 1964, il a retrouvé vingt mille lettres et les a présentées et annotées avec une exigence et une sensibilité exemplaires.*

Toute sa vie George Sand a gardé une activité épistolaire intense : elle écrivait huit ou dix lettres par jour, plus parfois. La publication a bouleversé l'idée que ses détracteurs avaient livrée au public : une mangeuse d'hommes, menant une vie scandaleuse, habillée en garçon et fumant la pipe. Elle révèle une mère attentive, une amie généreuse, une femme curieuse de la vie et des autres. Les détails autobiographiques sont intimement mêlés aux événements du monde littéraire, social ou politique.

Anne-Marie de Brem : Certains considèrent la *Correspondance* de George Sand comme son chef-d'œuvre. Cette opinion vous semble-t-elle justifiée?

Georges Lubin : Ces lettres forment, en tout cas, une œuvre à part entière. Elles sont plus spontanées que les romans, plus libres qu'*Histoire de ma vie*. George écrit sans précautions de style. Son ton est proche de la conversation : simple, spontané, tantôt passionné, tantôt dramatique. Elle laisse tout aussi bien percer ses soucis maternels que ses préoccupations de femme d'affaires. Les ruptures de ton sont constantes, et dans une même lettre elle peut passer du sérieux au familier, et terminer par une bouffonnerie.

En raison même de cette liberté d'écriture, en novembre 1857, parvenue au faîte de sa célébrité, une inquiétude lui vient à l'idée que ses lettres pourraient être montrées et publiées : «J'avoue que cette pensée m'empêcherait d'écrire à qui que ce soit… Que mes lettres deviennent ce qu'elles pourront, je ne veux pas y songer. J'arrive à me persuader que quand elles sont intimes elles ne sortiront pas de l'intimité bienveillante.» Elle peut être assurée, de toute façon, que la bienveillance de son éditeur ne lui a jamais fait défaut.

A.-M. B. : Cette diversité se retrouve-t-elle dans l'univers de George Sand?

G. L. : Chaque tome est l'occasion de nouvelles surprises. Dans un XIXe siècle agité qui a vu deux guerres et trois révolutions, les événements politiques se succèdent et provoquent l'intérêt passionné de Sand. Lors de la révolution de 1848 par exemple, elle se trouve projetée à un poste très important. Elle reste dans la coulisse mais les têtes pensantes du Gouvernement provisoire la consultent à chaque instant. A partir de 1832 sa renommée lui attire des relations nouvelles : Liszt, Buloz, Delacroix, Balzac, Flaubert, Dumas fils pénètrent dans son intimité, et elle leur

Lettre de George Sand à Gustave Flaubert au sujet de *Salammbô*.

écrit assidûment. Sa correspondance devient alors une histoire vivante du romantisme. George Sand s'intéresse aux moindres détails de la vie de ses amis, ce qui nous donne des renseignements savoureux et de première main sur la manière dont Delacroix tendait sa toile sur ses châssis, Flaubert rugissait dans son «gueuloir», Dumas fils vivait à la campagne sans le plus élémentaire confort, et Chopin se trouvait «tout étonné de suer» en plein été comme le commun des mortels.

A.-M. B. : Quelles différences voyez-vous entre les lettres de George Sand et d'autres correspondances publiées?

G. L. : La plus célèbre des épistolières, Madame de Sévigné, est parfaitement informée de ce que ses lettres circuleront dans l'entourage de Mme de Grignan, son seul interlocuteur. Aussi surveille-t-elle ses mots et se méfie-t-elle de sa spontanéité. Dans son courrier, Mérimée masque sa personnalité. Balzac est encombré de soucis financiers, Sainte-Beuve, de soucis littéraires. Les intérêts de Renan sont concentrés sur ses travaux scientifiques. George Sand, en revanche, ne rejette aucune facette de sa personnalité. C'est ce qui rend ses lettres si attachantes. Elle est en même temps mère, amante, amie, écrivain, maîtresse de maison, romancière, socialiste… On croit la connaître mais chaque lettre la révèle plus complexe et plus grande qu'on ne l'imaginait.

A.-M. B. : Certains correspondants de George Sand vous paraissent-ils plus intéressants que d'autres?

G. L. : Quelques modestes destinataires deviennent si présents qu'ils prennent une épaisseur inattendue : l'ami le plus cher, François Rollinat, Jules Néraud, dit «le Malgache», Fleury «le Gaulois», sa vieille amie Ursule Jos, le père Aulard, maire de Nohant, qui écrit des sonnets et tire le canon lors de l'anniversaire de George Sand.

Et les domestiques auxquels Sand apprend à lire… Sans oublier les artistes : Eugène Lambert, le peintre des chats, ou les graveurs Manceau et Calamatta, ou encore la charmante couturière Lise Perdiguier. D'autres seraient sortis de la mémoire du grand public sans leur présence auprès de la romancière : Michel de Bourges, Marie de Rozières, Mlle Leroyer de Chantepie, Aurélien de Sèze. On croise d'illustres personnages : Hugo, Michelet, Tourgueniev, Fromentin, Théodore Rousseau… Et l'on s'attache à l'héroïne principale de ces vingt-six volumes : George Sand elle-même, si proche de nous. La plupart des problèmes qui se posaient à elle au XIXᵉ siècle se posent encore aux femmes d'aujourd'hui en termes semblables.

Il est paradoxal que nous admirions une œuvre que l'écrivain aurait considérée comme indigne d'être présentée à des lecteurs. Nous aimons ce premier jet d'une pensée comme on peut apprécier une esquisse plutôt qu'un tableau fini. Même si George Sand n'était pas la romancière que nous connaissons, nous trouverions un intérêt immense à lire ses lettres.

A.-M. B. : Avez-vous une préférence pour l'un ou l'autre tome de cette correspondance?

G. L. : Toutes les époques de la vie de George Sand excitent l'intérêt. Certaines périodes de crise sont, bien entendu, plus fertiles que d'autres en péripéties. L'arrivée à Paris et la naissance de l'écrivain en 1831, l'aventure de Venise en 1832, le mariage précipité de Solange et la rupture avec Chopin en 1847, sans oublier l'année terrible de 1871. Je conseillerai cependant au lecteur de suivre la vie au jour le jour : les courriers de Sand sont si fréquents que l'on entre peu à peu dans son intimité; on s'identifie à l'épistolière et ses lettres deviennent aussi passionnantes à suivre que les pages d'un roman. Nous nous apercevons, par exemple, qu'après la mort de Musset, ayant eu un de ses anciens billets entre les mains, elle l'a falsifié. Dans quel but? Etait-ce le désir d'épargner la réputation de tiers? Ces pages étaient-elles nuisibles à la mémoire du poète ou d'elle-même? Nous ne le saurons jamais. Une autre année nous découvrons une lettre de soixante et onze pages *in-octavo*! sans doute le record absolu des lettres intimes. Une longue et douloureuse missive, adressée à Emmanuel Arago, pour lui raconter les événements familiaux dramatiques qui ont précédé la rupture avec Solange. On suit jour après jour les efforts de Sand pour forger sa personnalité, on partage ses déceptions et ses espoirs, on se prend d'affection pour ses interlocuteurs.

Interview de Georges Lubin
réalisée par Anne-Marie de Brem
en janvier 1997

George Sand photographiée par Nadar, entourée de ses œuvres.

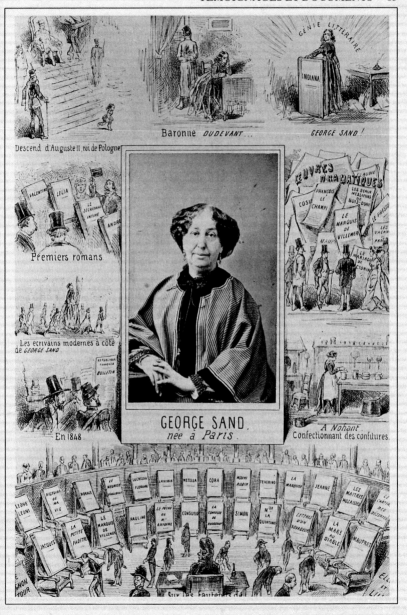

Baronne *DUDEVANT*...

GENIE LITTERAIRE

GEORGE SAND !

Descend d'Auguste II, roi de Pologne

Premiers romans

Les écrivains modernes à côté de *GEORGE SAND*

En 1848

GEORGE SAND.
née à Paris.

A Nohant.
Confectionnant des confitures.

Liaisons épistolaires

Sa vie durant, George Sand a entretenu une volumineuse correspondance dans laquelle elle se livre sans retenue, avec une spontanéité et une vivacité toujours renouvelées. Sa liberté de ton ne cesse de nous étonner et l'on découvre une jeune femme tantôt gaie ou enjouée, tantôt amère ou vindicative, tantôt aimante ou passionnée. Quel que soit son destinataire, ami, amant, éditeur… elle reste une femme de conviction, libre avant tout.

A Emile Regnault

George Sand n'a jamais goûté les mondanités, et ne s'en cache pas. Dans cette lettre adressée à son ami Emile Regnault, qui suit ses études de médecine à Paris, elle se décrit avec esprit et porte un jugement drôle et sans concession sur le monde qui l'entoure.

[Nohant],
samedi soir [18 février 1832]

Il paraît, mon gros bêtat [sic], que vous dansez très singulièrement. C'est le sujet de toute une lettre de Jules [Sandeau]. Il ne tarit pas d'éloges ou de sarcasmes (je ne sais lequel des deux) sur votre habit rouge, vos joues vermeilles, votre chevelure fantastique, votre désinvolture déhanchée. Si vous êtes de moitié seulement aussi drôle que sa lettre, c'est à mourir de rire. Vous me procurerez le plaisir de vous voir ainsi, n'est-ce pas? Mais vous êtes donc fou d'aller passer une nuit à danser? Voilà un plaisir que du fond de mon cabinet, les pieds dans mes pantoufles, le dos au feu, la plume à la main, je ne conçois plus. Il est vrai qu'à 20 ans, j'étais beaucoup plus ingambe, j'aimais assez la danse, la bourrée s'entend, sur la pelouse au mois de mai avec les jeunes filles de mon village car je n'ai jamais pu souffrir l'odeur ambrée des salons, l'éclat des lustres, le supplice du corset, de la robe de bal et des souliers de satin.

    J'ai été malheureuse à pleurer toutes les fois que je n'ai pas eu trois chaises pour m'étendre à mon aise, les pieds l'un sur l'autre, toutes les fois que j'ai été forcée à me séparer de ma tabatière, à essuyer mon nez respectable dans un mouchoir garni de dentelle, à montrer mon dos et mes épaules, que par je ne sais quel ridicule instinct de pudeur, j'ai toujours regardé[s] comme n'étant pas du domaine public. Enfin, soit bégueulerie, sauvagerie ou gaucherie, je n'ai jamais pu me trouver à l'aise au milieu de gens que je ne connaissais pas, soit distraction, stupidité, ou défaut d'usage, je n'ai pu parler de la pluie et du beau temps, de la danse et de la température des salons, sans bâiller au nez de mon interlocuteur, ce qui fait que dans toute réunion un peu soignée où j'ai eu la maladresse de paraître, j'ai paru singulièrement impertinente, rustique et déplacée. A Bordeaux, on m'a prise pour une débarquée des bords de l'Orénoque, à Paris pour une quakress, à Clermont pour une mulâtresse (j'avais le renfort d'un coup de soleil attrapé glorieusement au faîte du Puy-de-Dôme), à Melun pour une maniaque échappée de Charenton, à La Châtre pour un bel Esprit.

Vous croyez que j'ai réussi dans le monde; mais je vous dirai bien où est la danse, où est la poésie, où est le plaisir des jambes des bras, du corps et de la tête. Allez aux Pyrénées, grimpez huit ou neuf cents toises, passez quatre ou cinq glaciers, traversez comme vous pourrez une cinquantaine de torrents et quand vous aurez perdu de vue les plaines de France, quand si haut que vous montiez vous ne verrez plus que des gorges, des ravins, des lacs et des rochers, alors vous serez dans un pays sauvage qui n'est ni la France ni l'Espagne, dans une contrée inculte qui n'appartient qu'à Dieu et aux chamois, et là vous verrez danser, pour peu même que vous attrapiez la mesure à trois temps et que vous réussissiez à la battre régulièrement avec vos deux pieds, pour peu que vos bras ne soient pas paralysés, que votre corps ait quelque aisance et votre cerveau quelque sentiment de jeunesse et de vigueur vous danserez… quoi ? la

ballade. Imaginez un plus joli nom ! Et puis, ayez le bonheur de trouver dans quelque village perdu dans les montagnes, perché sur quelque pic fourchu ignoré du voyageur et fréquenté seulement des contrebandiers et des pâtres, ayez, dis-je, le bonheur de trouver sous le porche de quelque église gothique taillée dans le roc, une bande de muletiers en halte, ou une famille espagnole en pèlerinage, et alors vous verrez danser et vous danserez le boléro, la *cachiucha* et même le fandango si vous avez assez de mœurs pour le danser proprement. Autrement, fermez les yeux et allez vous-en, car si vous avez vu danser le chahut ou le cancan, vous av[ez vu] des choses bien plus obscènes, mais bien moins lascives et tout aussi peu dangereuses les unes que les autres pour un homme jeune et sain, car il n'y a que les vieillards et les infirmes pour se plaire à de semblables illusions.

[n. s.]

A Alfred de Musset

George Sand, restée à Venise après sa rupture avec Alfred de Musset, adresse cette lettre au poète, rentré à Paris.
Ce texte figure parmi les plus célèbres lettres d'amour du XIXe siècle. Musset s'inspirera de leur échange épistolaire pour son œuvre Confession d'un enfant du siècle.

[Venise,]
15 avril [et 17 avril 1834]

Ne crois pas, Alfred, que je puisse être heureuse avec la pensée d'avoir perdu ton cœur. Que j'aie été ta maîtresse ou ta mère, peu importe. Que je t'aie inspiré de l'amour ou de l'amitié, que j'aie été heureuse ou malheureuse avec toi, tout cela ne change rien à l'état de mon âme à

P ortrait de George Sand en 1833 par Alfred de Musset .

présent. Je sais que je t'aime, et c'est tout. Mais pas avec cette soif [douloureuse?] de t'embrasser à toute seconde que je ne pourrais satisfaire sans te donner la mort. Mais avec une force toute virile et aussi avec toutes les tendresses de l'amour féminin. Veiller sur toi, te préserver de tout mal, de toute contrariété, t'entourer de distractions et de plaisirs, voilà le besoin et le regret que je sens depuis que je t'ai perdu… pourquoi cette tâche si douce et que j'aurais remplie avec tant de joie, est-elle devenue peu à peu si amère et puis tout à coup impossible? Quelle fatalité a changé en poison, les remèdes que je t'offrais? Pourquoi, moi qui aurais donné tout mon sang pour te donner une nuit de repos et de calme, suis-je devenue pour toi, un tourment, un fléau, un spectre? Quand ces affreux souvenirs m'assiègent (et à quelle heure me laissent-ils en paix?) je deviens presque folle. Je couvre mon oreiller de larmes.

J'entends ta voix m'appeler dans le silence de la nuit. Qu'est-ce qui m'appellera à présent! Qui est-ce qui aura besoin de mes veilles? A quoi emploierai-je la force que j'ai amassée pour toi, et qui maintenant se tourne contre moi-même? Oh! mon enfant, mon enfant! que j'ai besoin de ta tendresse et de ton pardon! Ne parle pas du mien, ne me dis jamais que tu as eu des torts envers moi. Qu'en sais-je? Je ne me souviens plus de rien, sinon que nous aurons été bien malheureux et que nous nous sommes quittés. Mais je sais, je sens que nous nous aimerons toute la vie avec le cœur, avec l'intelligence, que nous tâcherons par une affection sainte de nous guérir mutuellement du mal que nous avons souffert l'un pour l'autre, hélas non! ce n'était pas notre faute, nous suivions notre destinée, et nos caractères plus âpres, plus violents que ceux des autres, nous empêchaient d'accepter la vie des amants ordinaires. Mais nous sommes nés pour nous connaître et pour nous aimer, sois-en-sûr. Sans ta jeunesse et la faiblesse que tes larmes m'ont causée, un matin, nous serions restés frère et sœur. Nous savions que cela nous convenait. Nous nous étions prédit les maux qui nous sont arrivés. Eh bien qu'importe, après tout? Nous avons passé par un rude sentier, mais nous sommes arrivés à la hauteur où nous devions nous reposer ensemble. Nous avons été amants, nous nous connaissons jusqu'au fond de l'âme, tant mieux. Quelle découverte avons-nous faite mutuellement qui puisse nous dégoûter l'un de l'autre? Oh malheur à nous, si nous nous étions séparés dans un jour de colère, sans nous comprendre, sans nous expliquer! C'est alors qu'une pensée odieuse eût empoisonné notre vie entière, c'est alors que nous n'aurions jamais cru à rien. Mais aurions-nous pu

George Sand et Alfred de Musset à Venise.

nous séparer ainsi? Ne l'avons-nous pas tenté en vain plusieurs fois, nos cœurs enflammés d'orgueil et de ressentiment ne se brisaient-ils pas de douleur et de regret chaque fois que nous nous trouvions seuls? Non, cela ne pouvait pas être. Nous devions, en renonçant à des relations devenues impossibles, rester liés pour l'éternité. Tu as raison, notre embrassement était un inceste, mais nous ne le savions pas. Nous nous jetions innocemment et sincèrement dans le sein l'un de l'autre. Eh bien! avons-nous un seul souvenir de ces étreintes, qui ne soit chaste et saint? Tu m'as reproché dans un jour de fièvre et de délire de n'avoir jamais su te donner les plaisirs de l'amour. J'en ai pleuré alors et maintenant je suis bien aise qu'il y ait quelque chose de vrai dans ce reproche. Je suis bien aise que ces plaisirs aient été plus austères, plus voilés que ceux que tu retrouveras ailleurs. Au moins tu ne te souviendras pas de moi dans les bras des autres femmes. Mais quand tu seras seul, quand tu auras besoin de crier et de pleurer, tu penseras à ton George, à ton vrai camarade, à ton infirmière, à ton ami, à quelque chose de mieux que tout cela; car le sentiment qui nous unit s'est formé de tant de choses qu'il ne se peut comparer à aucun autre. Le monde n'y comprendra jamais rien, tant mieux, nous nous aimerons, et nous nous moquerons de lui.

George

A François Buloz

Les lettres que George Sand adresse à François Buloz, son éditeur, sont pleines d'esprit, souvent franchement drôles. Les questions d'argent, omniprésentes, révèlent à quel point l'écrivain devait sans cesse batailler avec les problèmes financiers, ce qui ne l'empêchait pas de traiter ces questions avec humour.

[Paris, 13 décembre 1836]

Buloz! – Hein? – Buloz!! – Hein? – Sacré Buloz!!! – Quoi? – De l'argent! – Je n'entends pas. – Cinq cents francs! – Qu'est-ce que vous dites? – que le diable vous emporte! Vous m'avez promis 6 mille francs dans quelques jours, et je vous demande 500 f. pour demain. – Je n'ai dit un mot de cela. – Ah! vous n'êtes donc pas sourd? – Eh! donnez-moi 500 f., 500 f., 500 f. – Je n'entends pas.

Mon cher ami, si vous êtes sourd, du moins vous savez lire je le présume quoiqu'on ne s'en douterait guère à la qualité des articles de la Revue que vous corrigez ès Mrs George Sand, X, X, X, X, etc. etc. etc. et caetlherminier etc. etc.

Voilà six lettres que je vous écris, mais il paraît que vous êtes sourd par les yeux, maladie étrange et qui jusqu'à ce jour n'a pas été décrite.

(500 francs) George (500 francs)

A Gustave Flaubert

George Sand et Gustave Flaubert entretiennent une riche correspondance à la fin de leur vie et la romancière aime se confier à l'écrivain à qui elle voue la plus grande admiration et une réelle affection, lui livrant en toute franchise ses moindres peines ainsi que les joies simples que lui procure la vie à Nohant.

[Nohant, 22.9 [1872]

Je ne pense pas aller à Paris avant février. Ma pièce est retardée, par suite de la difficulté de trouver l'interprète principal. J'en suis aise, car quitter Nohant, mes occupations et les promenades si belles en ce temps-ci, ne me souriait point; quel automne chaud et bienfaisant pour les vieux! Nous avons, à deux heures d'ici, des bois absolument déserts où, au lendemain de la pluie, il fait aussi sec que dans une chambre, et où il y a encore des fleurs pour moi et des insectes pour Maurice. Les petites filles courent comme des lapins dans des bruyères plus hautes qu'elles. Mon Dieu, que la vie est bonne quand tout ce qu'on

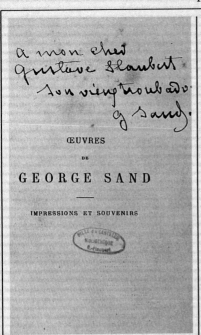

à mon cher
gustave Flaubert
son vieux troubadour.
g. sand.

ŒUVRES

DE

GEORGE SAND

———

IMPRESSIONS ET SOUVENIRS

Dédicace de Sand à Flaubert.

aime est vivant et grouillant! Tu es mon seul point noir dans ma vie du cœur, parce que tu es triste et ne veux plus regarder le soleil. Quant à ceux dont je ne me soucie pas, je ne me soucie pas davantage des malices ou des bêtises qu'ils peuvent me faire ou se faire à eux-mêmes, ils passeront comme passe la pluie. La chose éternelle, c'est le sentiment du beau dans un bon cœur. Tu as l'un et l'autre, sacrédié, tu n'as pas le droit de n'être pas heureux – Peut-être eût-il fallu dans ta vie, l'emboîtement du sentiment féminin dont tu dis avoir fi. – Je sais que le féminin ne vaut rien, mais peut-être pour être heureux, faut-il avoir été malheureux. Je l'ai été moi, et j'en sais long, mais j'oublie si bien!

Enfin, triste ou gai, je t'aime et je t'attends toujours, bien que tu ne parles jamais de venir nous voir et que tu rejettes l'occasion avec empressement. On t'aime chez nous quand même. On n'est pas assez littéraire pour toi, chez nous, je le sais. Mais on aime et ça emploie la vie.

Est-ce que Saint-Antoine est fini, que tu parles d'un ouvrage de grande envergure; ou si c'est le Saint-Antoine qui va déployer ses ailes sur l'univers entier? Il le peut, le sujet est immense.

Je t'embrasse, dirai-je encore mon vieux troubadour, quand tu es résolu à tourner au vieux bénédictin? Alors moi je reste troubadour, il n'y a pas à dire.

G. Sand

Les bouleversements du siècle

George Sand a traversé trois révolutions. Jeune femme en 1830, l'horreur des combats la choque profondément, sans qu'elle se lance encore véritablement sur la scène politique. En 1848, son engagement aux côtés des Républicains est total. En 1870, George Sand, retirée à Nohant, âgée, ne comprend plus l'agitation révolutionnaire des Parisiens et s'éloigne de la vie politique.

Scènes de 1830.

1830 et la monarchie de Juillet

Dans cette lettre empreinte d'amertume adressée à son amie d'enfance Laure Decerfz, George Sand s'insurge contre «tous les hommes» qu'elle a en horreur. A travers le récit des combats et des émeutes qui ensanglantèrent Paris, elle dénonce la vilenie d'un pouvoir qui emploie la délation pour «fouiller le lit des mourants».

A Laure Decerfz
[Paris,] mercredi [13 juin 1832]

Voici la peste chez vous, hier la guerre était ici, tout cela est gracieux. Quel temps pour vivre! qu'avons-nous fait à Dieu pour qu'il nous ait jeté sur terre, dans ce siècle de maux. As-tu bien peur du choléra? non pas pour toi n'est-ce pas? mais pour les tiens. Il nous reste à toutes deux une espèce de bonheur, c'est de croire en Dieu et de le prier. Je ne sais comment font ceux qui n'y croient plus du tout. C'est la seule espérance qu'on puisse accueillir au temps où nous sommes et encore à quoi tient-elle? Tâchons de la bien garder.

J'espère que tu me donneras souvent de tes nouvelles, que tu me parleras de ta famille, de la mienne. J'ai bien besoin à présent d'être entretenue de vous tous les jours. Je t'aurais écrit le lendemain du dernier combat, si je n'eusse craint de te contrister aussi profondément que je l'étais. Et puis je ne sais pas s'il est permis d'avoir un avis sur ce qui se passe quand on est en *état de siège*, et peut-être l'administration des postes est forcée de confier son pacifique et discret emploi à un pouvoir qui timbre avec le sabre… On ne doit pas penser, encore moins écrire là où règne le soldat qui n'écrit pas et qui pense encore moins. Il est tout au plus permis de frémir et de

jurer bien bas, en entendant la fusillade, de pleurer en voyant les cadavres. Mais vois-tu, les gens qui ont une opinion politique sont les moins à plaindre. Ils s'indignent contre le parti dont ils ne sont pas. Moi, je m'indigne contre tous les hommes. Ils ont un espoir, un devoir, un vœu dans le conflit, moi je n'ai que de la douleur. Chaque balle qui siffle à leurs oreilles leur enlève peut-être un ennemi et pour ces gens-là un ennemi n'est pas un homme. Pour toi et pour moi, un soldat, un étudiant, un ouvrier, un garde national, un gendarme même représentent quelque chose qui vit, qui doit vivre, qui a des sympathies ou des besoins en commun avec nous. Pour les hommes de parti il n'y a que des assassins et des victimes. Ils ne comprennent pas qu'eux tous sont victimes et assassins tour à tour. Voir couler le sang est pourtant une horrible chose! découvrir sur la Seine au-dessous de la morgue un sillon rouge, voir écarter le foin qui recouvre à peine une lourde charrette, et apercevoir sous ce grossier emballage vingt, trente cadavres, ceux-ci en habit noir, ceux-là en veste de velours, tous déchirés, mutilés, noircis par la poudre, souillés de boue et de sang figé. Entendre les cris des femmes qui reconnaissent là leurs maris, leurs enfants, tout cela est horrible; mais ce l'est moins encore que de voir achever le fuyard qui se sauve à moitié mort en demandant grâce, que d'entendre râler sous sa fenêtre le blessé qu'il est défendu de secourir et que condamnent trente baïonnettes. Il y a eu des épisodes affreux, féroces de part et d'autre. Les vaincus sont toujours les plus coupables. Mais quand on osera regarder les vainqueurs!

Ma pauvre Solange était sur le balcon, regardant tout cela, écoutant la fusillade et ne comprenant pas... Quelquefois une peur instinctive la saisissait. Il me fallait tout l'horrible sang-froid qu'on a dans de pareils moments pour lui faire croire que tout cela était un jeu comme les batailles qu'elle a vues chez Franconi et au mélodrame. Elle s'est endormie au milieu de cet horrible bruit. Moi j'ai passé la nuit à ma fenêtre, quelle nuit, et quel lendemain!

A présent il n'y paraît plus. La Morgue est lavée, la Seine est redevenue jaune comme à l'ordinaire, les pavés sont renfoncés, les orphelins et les veuves se taisent, les blessés se cachent, les triomphateurs chantent. Le roi s'avilit. J'en suis fâchée. Ce roi est un mal nécessaire et au milieu de l'abattement que jetait une telle victoire dans les âmes honnêtes on était forcé de s'applaudir du dernier soupir de cette république effrayante dans la crise où nous sommes. Mais les mesures viles et odieuses qu'on a prises depuis ont rallumé la haine du pouvoir, et la soif de l'anarchie dans les esprits flottants. Conçois-tu, qu'une ordonnance royale, affichée sur tous les murs, enjoint aux médecins et aux chirurgiens de déclarer immédiatement à la police le nom et la demeure des blessés qu'ils sont appelés à soigner à domicile! La police va fouiller le lit des mourants, arracher les cadavres aux larmes des familles, rouvrir les plaies à peine fermées! Le pouvoir compte sur la délation. Il s'ordonne. Il menace si on résiste. Il espère démoraliser la plus estimable classe de la société, et la transformer en agence de police! Napoléon n'a rien fait de plus odieux, Charles X rien de plus bête et autour de ce nouveau roi, malheureux et trompé sans doute, (car ils le sont tous) il ne s'est pas trouvé un homme de cœur pour dire : Vous vous déshonorez! Ils le lui diront quand ils l'auront perdu, quand ils auront relevé pour lui l'échafaud héréditaire!

Dieu me préserve de voir une réaction. Mais je la crois inévitable et d'avance j'en ai horreur. J'ai horreur de la monarchie, horreur de la république, horreur de tous les hommes. Je voudrais être chien, n'avoir besoin que d'un fumier pour dormir, d'une charogne à manger. Je m'en irais au fond des déserts, s'il y a des déserts encore et j'y dormirais sans voir des hommes, sans savoir qu'il en existe. Je suis dégoûtée de la vie, au point qu'il me faut mes enfants pour la supporter.

Tu penses bien qu'au milieu de ces tragédies réelles, les arts sont oubliés, perdus, anéantis. Si j'étais égoïste, je désirerais ardemment le maintien des pouvoirs absolus, car c'est une triste et grossière vérité que ce paradoxe, *plus la loi est arbitraire, plus les individualités sont libres*. Je riais jadis quand on me disait cela. A présent je vois combien c'est vrai et combien les gouvernements despotiques sont calmes et prospères. Malheureusement nous sommes trop mûrs pour ceux-là, trop verts pour la république et trop corrompus pour trouver la chimère du *juste milieu*. Si nous avions dix ans de calme politique, la littérature verrait sans doute une ère florissante, car après la réaction du faux sur le vrai (réaction qui s'est opérée ces dix dernières années et qui achève son cours) arriverait maintenant celle du vrai sur le faux, celle que tout lecteur demande, que tout écrivain rêve et désire mais qui ne peut éclore dans un siècle de fureurs et sur une terre d'hôpitaux. Si je t'avais écrit avant le 6 juin je t'aurais parlé avec joie du *succès d'Indiana* parce que je sais avec quelle amitié tu l'aurais accueilli, ce succès tout honnête, tout littéraire, que je n'avais pas sollicité, que je n'espérais pas et qui m'est venu d'une manière si douce, de Latouche que j'aime et de plusieurs autres talents que j'admire. Mais *le 6 juin a tué Indiana* pour un mois et m'a jetée si brutalement dans la vie réelle, qu'il me semble impossible à *présent de jamais rêver à des romans*. Je reviendrai j'espère de ce découragement, j'en ai grand besoin, mais l'inquiétude où je vis à présent que le choléra est chez vous, achève de me réduire à l'état de la brute et de la brute souffrante, bête et triste c'est trop d'un.

Adieu, chère petite fille. Ecris-moi donc tant que tu pourras. Je ne demande pour vivre que des lettres de La Châtre et de Nohant. Je t'embrasse mille fois ainsi que ta bonne chère mère.

[n. s.]
[Poste :]
[Paris] 14 juin 1832

La révolution de 1848

Très différente de la précédente, cette lettre nous dévoile une George Sand enthousiaste, qui laisse éclater sa joie à la victoire de la république. Ses amis du Gouvernement provisoire ont gagné, et elle va s'employer, avec leur concours, à mettre en pratique ses idées socialistes.

A Charles Poncy

8 mars, Nohant [1848]

Vive la république! Quel rêve, quel enthousiasme et en même temps quelle tenue, quel ordre à Paris! J'en arrive, j'y ai couru, j'ai vu s'ouvrir les dernières barricades sous mes pieds. J'ai vu le peuple grand, sublime, naïf, généreux, le peuple français réuni au cœur de la

Première réunion de l'Assemblée nationale en 1848.

France, au cœur du monde, le plus admirable peuple de l'univers. J'ai passé bien des nuits sans dormir, bien des jours sans m'asseoir. On est fou, on est ivre, on est heureux de s'être endormi dans la fange et de se réveiller dans les cieux. Que tout ce qui vous entoure ait courage et confiance. La république est conquise, elle est assurée, nous y périrons tous plutôt que de la lâcher. Le gouvernement provisoire est composé d'hommes excellents pour la plupart, tous un peu incomplets et insuffisants à une tâche qui demanderait le génie de Napoléon et le cœur de Jésus. Mais la réunion de tous ces hommes qui ont de l'âme, ou du talent, ou de la volonté, suffit à la situation. Ils veulent le bien, ils le cherchent, ils l'essayent. Ils sont dominés sincèrement par un principe supérieur à la capacité individuelle de chacun, la volonté de tous, le droit du peuple. Le peuple de Paris est si bon, si indulgent, si confiant dans sa cause et si *fort*, qu'il aide lui-même son gouvernement. La durée d'une telle disposition serait l'idéal social. Il faut l'encourager. D'un bout de la France à l'autre, il faut que chacun aide la république et la sauve de ses ennemis. Le désir, le principe et le vœu fervent des membres du gouv[ernemen]t prov[isoir]e est qu'on envoie à l'Assemblée nationale des hommes qui représentent le peuple et dont plusieurs, le plus possible, sortent de son sein.

Ainsi, mon ami, vos amis doivent y songer et tourner les yeux sur vous pour la députation. Je suis bien fâchée de ne pas connaître les gens influents de notre opinion dans votre ville. Je les supplierais de vous choisir et je vous commanderais au nom de mon amitié maternelle d'accepter sans hésiter. Voyez, *faites agir*, il ne suffit pas de *laisser agir*. Il n'est plus question de vanité ni d'ambition comme on l'entendait naguère. Il faut que chacun fasse la manœuvre du navire et donne tout son temps, tout son cœur, toute son intelligence, toute sa vertu à la république. Les poètes peuvent être comme Lamartine de grands citoyens, les ouvriers ont à nous dire leurs besoins, leurs inspirations. Ecrivez-moi vite qu'on y pense et que vous le voulez. Si j'avais des amis je le leur ferais bien comprendre. [...]

George

La Commune

L'auteur de cette lettre est une femme à la fin de sa vie, assez désabusée, et sans doute dépassée par des événements qu'elle a du mal à comprendre. N'avoue-t-elle pas elle même être «bien endurcie sur le sort de ceux qui restent».

A Alexandre Dumas Fils

[Nohant 15 mai 1871]

Cher fils,

Je suis contente que vous soyez content de l'état de mon esprit durant ces épreuves tragiques. A présent, les épreuves sont burlesques, par-dessus le marché! Mais n'êtes-vous pas frappé de la lâcheté générale? Qu'après un désastre, les oiseaux de proie s'abattent sur les cadavres, c'est tout simple, cela s'est toujours vu. Un moment d'anarchie et les idiots soutenus par messieurs les voleurs viennent se repaître. Mais cette population parisienne qui est à raison de cent contre un et qui se laisse opprimer, insulter, voler, avilir? Ceux qui élèvent encore la voix sont si c... [sic] qu'ils font semblant de redouter une Restauration pour se dispenser de résister à quelques voyous pochards qu'ils devraient et

Alexandre Dumas fils.

pourraient jeter dans leurs caves. Le citadin est-il assez démoralisé, assez abruti par la peur! Et il y a un parti, un gros parti de toutes nuances, qui veut nous prouver la supériorité de l'homme des villes sur celui des campagnes, au moins ce dernier a l'amour féroce de la propriété et dès qu'il voit un passant de mauvaise mine, il est prêt à tomber dessus. Mieux vaut être avare ou méchant que de n'être rien du tout. Cela démontre surabondamment ce que vous disiez dans votre avant-dernière lettre sur le non-droit des non-valeurs humaines dans l'influence sociale.

Il n'y a pas à pleurer sur les déplacements de richesse qui vont s'opérer à la suite de la ruine de Paris. Ceux qui se laissent plumer comme des oies ne sont pas intéressants. J'espère que le dénouement est proche. A présent que tout ce qui a une valeur intellectuelle et morale a quitté ce foyer d'insanités, j'avoue que je suis bien endurcie sur le sort ceux qui restent. [...]

George,
Nohant 15 mai

Regards sur George Sand

Quatre auteurs d'horizons divers livrent ici leur point de vue sur la personnalité de George Sand. L'éloge de Henri Heine n'est pas dénué d'humour, tandis que Théophile Gautier raille ouvertement la vie domestique à Nohant. Plus près de nous, la critique radicale de Simone de Beauvoir s'oppose à l'indulgence de Françoise Sagan.

N ohant, la façade vers le midi.

Théophile Gautier

Dans leur Journal, *les frères Goncourt transcrivent dans le détail une visite à Nohant que leur relate Théophile Gautier. Minéralogie, parties de cochonnet, discussions tard dans la nuit composent le menu de ce séjour en Berry. L'auteur n'épargne pas ses hôtes et ne se départit à aucun moment de son esprit caustique.*

«Ah! mais à propos, Gautier, vous revenez de Nohant, de chez Mme Sand? Est-ce amusant?

– Comme un couvent de frères moraves! Je suis arrivé le soir. C'est loin du chemin de fer. On m'a mis ma malle dans un buisson. Je suis entré par la ferme, avec des chiens qui me faisaient peur. On m'a fait dîner. La nourriture est bonne; mais il y a trop de gibier et de poulets : moi, ça ne me va pas. Il y avait là Marchal le peintre, Alexandre Dumas fils, Mme Calamatta. [...]

– Et quelle est la vie à Nohant?

– On déjeune à dix heures. Au dernier coup, quand l'aiguille est sur dix heures, chacun se met à table sans attendre. Mme Sand arrive avec un air de somnambule, reste endormie tout le déjeuner. Après le déjeuner, on va dans le jardin, on joue au cochonnet; ça la ranime. Elle s'assied et se met à causer. On cause généralement à cette heure-là de choses de prononciation; par exemple, sur la prononciation d'ailleurs et de meilleur. Mais le grand plaisir de causerie de la société, ce sont les plaisanteries stercoraires.

– Bah!

– Oui, la merde, les pets, c'est le fond de la gaîté. Marchal a beaucoup de succès avec ses vents. Mais par exemple pas le plus petit mot sur le rapport des sexes! Je crois qu'on vous flanquerait à la porte si vous y faisiez allusion…

"On déjeune à dix heures."

«A trois heures, Mme Sand remonte faire de la copie jusqu'à six heures. On dîne. Seulement, on vous prie de dîner un peu vite, pour laisser le temps de dîner à Marie Caillot. C'est la bonne de la maison, une petite Fadette que Mme Sand a prise dans le pays, pour jouer dans les pièces de son théâtre, et qui vient au salon, le soir, après dîner. Après dîner, Mme Sand fait des patiences sans dire un mot jusqu'à minuit… Par exemple, le second jour, j'ai commencé à dire que si l'on ne parlait pas littérature, je m'en allais… Ah, littérature! Ils semblaient revenir de l'autre monde…

«Il faut vous dire qu'en ce moment, il n'y a qu'une chose dont on s'occupe là-bas, la minéralogie. Chacun a son marteau, on ne sort pas sans.

«Enfin, j'ai déclaré que Rousseau était le plus mauvais écrivain de la langue française, et ça nous a fait une discussion avec Mme Sand jusqu'à une heure du matin.

«Par exemple, Manceau lui a machiné ce Nohant pour la copie! Elle ne peut s'asseoir dans une pièce sans qu'il surgisse des plumes, de l'encre bleue, du papier à cigarettes, du tabac turc et du papier à lettres rayé. Et elle en foire! Car elle recommence à minuit jusqu'à quatre heures. Enfin, vous savez ce qui lui est arrivé, quelque chose de monstrueux! Un jour, elle finit un roman à une heure du matin : «Tiens, dit-elle, j'ai fini!» Et elle en recommence un autre. La copie est une fonction chez elle…

«Au reste, on est très bien chez elle. Par exemple, c'est un service silencieux. Il y a une boîte, qui a deux compartiments, dans le corridor : l'un est pour les lettres par la poste, l'autre pour la maison. Dans celui-ci, on écrit tout ce dont on a besoin, en indiquant son nom et sa chambre. J'ai eu besoin d'un peigne; j'ai écrit : M. Théophile Gautier, telle chambre, ma demande – et le lendemain à six heures, j'avais trente peignes à choisir.»

Jules et Edmond Goncourt,
Journal,
Paris, 1887-1896

Henri Heine

George Sand, le plus grand écrivain de France, est en même temps une femme d'une beauté remarquable. Comme le génie qui se montre dans ses œuvres, son visage peut être nommé plutôt beau qu'intéressant; l'intéressant est toujours une déviation gracieuse ou spirituelle du véritable type du beau, et la figure de George Sand porte justement le caractère d'une régularité grecque. La coupe de ses traits n'est cependant pas tout à fait d'une sévérité antique, mais adoucie par la sentimentalité moderne, qui se répand sur eux comme un voile de tristesse. Son front n'est pas haut, et sa riche chevelure du plus beau châtain tombe des deux côtés de la tête jusque sur ses épaules. Ses yeux sont un peu ternes, du moins ils ne sont pas brillants : leur feu s'est peut-être éteint par des larmes fréquentes, ou peut-être a-t-il passé dans ses ouvrages, qui ont répandu leurs flammes brûlantes par tout l'univers et embrasé tant de têtes de femmes : on les accuse d'avoir causé de terribles incendies. L'auteur de *Lélia* a des yeux doux et tranquilles, qui ne rappellent ni Sodome, ni Gomorrhe. Elle n'a pas un nez aquilin et émancipé, ni un spirituel petit nez camus; son nez est simplement un nez droit et ordinaire. Autour de sa bouche se joue habituellement un sourire plein de bonhomie, mais qui n'est pas très attrayant; sa lèvre inférieure, quelque peu pendante, semble révéler la fatigue des sens. Son menton est charnu, mais de très belle forme. Aussi ses épaules sont belles, et même magnifiques; pareillement ses bras et ses mains, qui sont extrêmement petites, ainsi que ses pieds. Quant aux charmes de son sein, je laisse à d'autres contemporains l'outrecuidance de les décrire; j'avoue humblement n'être pas compétent à cet égard. La conformation générale de son corps a d'ailleurs l'air d'être un peu trop grosse, ou du moins trop courte. Seulement la tête porte le cachet de l'idéal, elle rappelle les plus nobles restes

de l'art antique, et, sous ce rapport, un de nos amis a eu parfaitement raison de comparer la charmante femme à la statue de marbre de la Vénus de Milo, qui se trouve placée dans une des salles du rez-de-chaussée du Louvre. Oui, George Sand est belle comme la Vénus de Milo; elle surpasse même celle-ci par bien des qualités : elle est par exemple beaucoup plus jeune. Les physionomistes qui prétendent que c'est la voix de l'homme qui fait le mieux deviner son caractère, seraient fort embarrassés s'ils devaient reconnaître la profonde sensibilité de George Sand dans le son de sa voix. Sa voix est mate et voilée, sans aucun timbre sonore, mais douce et agréable. Le ton naturel de son langage lui prête un charme particulier. [...]

George Sand brille par sa conversation. Elle n'a absolument rien de l'esprit pétillant des Françaises, ses compatriotes, mais rien non plus de leur babil intarissable. Cette sobriété de paroles n'a cependant pas pour cause la modestie, ni un intérêt sympathique et profond pour son interlocuteur. Elle est taciturne plutôt par orgueil; parce qu'elle ne vous croit pas dignes de la faveur de vous prodiguer son esprit; ou bien même elle l'est par égoïsme, parce qu'elle cherche à absorber en elle-même les meilleures de vos paroles, afin de les laisser fructifier dans son âme et de les employer plus tard dans ses écrits. […]

Oui, jamais George Sand ne dit un mot brillant d'esprit, et elle ne ressemble guère à ses compatriotes sous ce rapport. Avec un sourire aimable et parfois singulier, elle écoute quand d'autres parlent, et les pensées étrangères qu'elle a reçues et travaillées en elle, sortent de l'alambic de son intelligence sous une forme bien plus riche et précieuse. Elle a l'oreille extrêmement fine. Elle accepte volontiers aussi les conseils de ses amis.

On comprend qu'à cause de la direction peu canonique de son esprit, elle n'ait pas de confesseur; mais comme les femmes même les plus enthousiastes d'émancipation ont toujours besoin d'un guide masculin, d'une autorité masculine, George Sand a pour ainsi dire un directeur de conscience littéraire, une espèce de capucin philosophe nommé Pierre Leroux. Cet excellent homme exerce malheureusement sur le talent de sa pénitente une influence peu favorable, car il l'entraîne dans d'obscures dissertations sur des idées à moitié écloses; il l'engage à entrer dans des abstractions stériles, au lieu de s'abandonner à la joie sereine de créer des formes vivantes et colorées, et d'exercer l'art pour l'art. George Sand avait investi d'une dignité plus mondaine auprès de sa personne notre bien-aimé ami Frédéric Chopin. Ce grand compositeur et pianiste fut pendant quinze ans son *cavaliere servente* le plus féal et le plus chevaleresque; quelque temps avant sa mort, il fut remercié pour des raisons qui me sont inconnues.

Henri Heine,
*Lutèce, Lettres sur la vie politique,
artistique et sociale de la France*,
Calmann Lévy, 1855

Simone de Beauvoir

Si elle salue la liberté, la volonté d'indépendance de George Sand, Simone de Beauvoir ne pardonne pas à l'écrivain la «falsification de son langage intérieur» dans ses œuvres et condamne sans appel ce «mensonge radical».

Si je ne suis pas d'accord avec un auteur, je ne me donne pas franchement à ma lecture et elle prend mal. Les huit volumes de la *Correspondance* de George Sand récemment édités par Lubin avec un grand luxe de notes et de références m'ont captivée : ils ressuscitent toute une époque. J'ai vu récemment Nohant et la vallée Noire : ma lecture a donc été plus «imagée» que d'ordinaire. Mais George Sand m'irrite. Jeune, j'aime sa volonté d'indépendance, son ardeur à lire, à s'instruire, à courir la campagne et la netteté de ses décisions. Prise au piège d'un mariage stupide, elle a eu l'audace de partir pour Paris pour refaire sa vie et subvenir elle-même à ses besoins.

Par la suite, je continue d'estimer son énergie et sa puissance de travail. Mais je suis écœurée par ce masque vertueux qu'elle a posé sur son visage. Avoir des amants, les tromper, leur mentir, pourquoi pas? Mais il ne faut pas alors clamer son amour de la vérité, crier à la calomnie et se donner des airs de sainte. Elle affiche pour tous ses amants des sentiments «maternels» ; couchant avec Pagello, elle prétend qu'ensemble ils aimeront Musset comme «leur enfant». La maternité pourtant n'est pas son fort : elle s'est fait détester par sa fille; elle l'a humiliée pendant toute son enfance, l'appelant «ma grosse» et la traitant de sotte. Elle a découragé tous ses élans par des sermons pédants ne lui accordant qu'un amour «conditionnel», ce qui

affole les enfants à qui la sécurité du
cœur est si nécessaire. A trente ans, elle
pose déjà à la femme brisée par la vie et
qui se dévoue sans compter : alors
qu'elle se fait impérieusement servir par
tout son entourage. Ce que je lui
pardonne le moins, c'est la falsification
systématique de son langage intérieur
qui transfigure toutes ses conduites en
exemples édifiants. C'est un mensonge
si radical que même l'attitude qu'elle
affiche en 1848 m'est suspecte.

Simone de Beauvoir,
Tout compte fait,
Gallimard, 1978

Françoise Sagan

*A travers leur correspondance
amoureuse, Françoise Sagan analyse le
couple que forment George Sand et
Alfred de Musset. Si elle admire sans
réserve la grâce et le désespoir du poète,
c'est, sans hésitation, de la romancière
qu'elle aurait voulu être l'amie.*

[...] Musset, le jeune et instable, le
poétique et poète Musset. Elle [George
Sand] et lui étaient supposés former un
nouveau couple, le nouveau couple,
où la femme aurait les rênes, la force,
la direction, et où l'homme, lui, serait
l'objet, la soumission, la faiblesse. Mais
ils étaient déjà, et malgré eux, et malgré
tout ce que l'on pouvait en dire, ils
étaient déjà, et encore, et surtout, l'autre
couple, le couple immuable, le couple le
plus vieux et le plus classique qui soit au
monde.

Il y avait lui qui voulait prendre ce
qu'elle voulait lui donner, lui qui voulait
garder ce qu'elle lui avait déjà
abandonné; il y avait lui qui se prêtait et
elle qui se perdait.

Il était le chasseur et elle était la
proie, voilà tout. Et qu'il l'appelât

George, mon petit garçon, mon petit
copain, et qu'il eût mal au cœur sur les
bateaux pendant qu'elle s'en moquait en
fumant des cigares, et qu'il s'assît et
s'allongeât plus volontiers qu'elle, et
qu'il eût des caprices et des nerfs de
femme, tout cela n'empêchait pas que ce
fût lui, lui, qui fût le prédateur et que ce
fût elle, elle, la victime; comme souvent,
comme si souvent; comme toujours dans
toutes les idylles vécues par des femmes
et écrites par des hommes.

Musset n'était pas, je le crois, plus
sensible à cette nouvelle femme douée,
intelligente, à cette nouvelle race, à cette
nouvelle espèce d'être sensible avec qui
l'on pouvait partager sa vie et ses
pensées; Musset n'était pas plus
«féministe» dans ce sens-là, dans le sens
noble du terme, que les féroces dandies
du boulevard des Italiens. Il n'était pas
plus sensible, il était simplement plus
intelligent, plus ironique, il avait plus
d'humour, et il devait trouver une sorte
de plaisir amusé, peut-être pervers, en
même temps qu'un charme d'enfance à
se mettre à l'abri, apparemment, de cette
femme aux larges et maternelles épaules,
à jeter les armes, apparemment, et rester

intelligences extrêmement éveillées et deux personnalités pour une fois égales en force, en renommée et en prestige, voire en talent.

Car ils avaient néanmoins, ensemble, une passion, une grande passion, mais qui, semble-t-il, s'établissait un peu à l'avantage de George Sand : c'était la littérature. [...] Et là, peut-être était-ce, en fait, la force de Sand que cette sincérité qui la mettait au sommet dans ses œuvres et en enfer dans sa vie personnelle.

Qu'on ne s'y trompe pas : j'aime, c'est vrai, mille fois plus Musset que Sand : et dans leur œuvre, et dans leur personne, et dans leur personnage. J'aime mille fois mieux le versatile, l'inquiet, le fou, le désordre, l'alcoolique, l'excessif, le colérique, l'enfantin, le désespéré Musset que la sage, l'industrieuse, la bonne, la chaleureuse, la généreuse et l'appliquée Sand. Je donnerais toutes ses œuvres à elle pour une pièce de lui : il y a quelque chose dans Musset, une grâce, un désespoir, une facilité, un élan et une gratuité qui me fascineront toujours mille fois plus que toute l'intelligence et la raison et la poésie paisible de Sand. Il n'empêche qu'à lire ses lettres, j'aurais préféré, je dois le dire, être l'amie de Sand que celle de Musset. Il est plus facile, quand on a des amis, de consoler que de blâmer, et quand serait venu le moment de consoler Musset, j'aurais peut-être eu du mal à savoir de quoi je le consolerai mais aucun à savoir de quoi l'accuser. Elle, en revanche, elle souffrait d'amour, elle souffrait d'amitié, elle souffrait d'estime, elle souffrait de tout ce que j'aime et admire, alors que lui souffrait de tout ce que je redoute et méprise, mais parfois ressens...»

Françoise Sagan,
Préface de *Sand et Musset,
Lettres d'amour*, Ed. Hermann, 1985

dénudé sous ses yeux impérieux et ses cheveux si noirs, il devait trouver drôle d'être, apparemment, mené par le nez par quelqu'un dont il tenait le cœur dans son poing; cette défaite-là lui permettait de laisser accuser son âge de ses jeunes débauches, de ses vices rameutés. Il laissait tous ses défauts, comme autant d'alibis, répondre de sa conduite, ce qui était quand même, déjà, le comble du cynisme, et, s'il admettait en soupirant que l'égalité de George existât, il laissait aussi supposer qu'elle était bien sévère, presque aussi sévère que ses défauts à lui, qui étaient divertissants.

On le voit, il n'y avait pas là grande différence avec les siècles précédents, ni même avec celui qui suivit. Non qu'il s'agisse ici de souligner chez George Sand une de ces femmes féministes qu'elle ne fut, au demeurant, jamais, et que, pour ma part, je n'ai jamais, non plus, beaucoup tenté d'approcher. Mais il est bien vrai que la tentative de ce couple de garçonnets – ce couple d'égaux, ce couple équilibré homme/femme – femme/homme –, il est bien vrai que la tentative de ce couple fut aussi un marché de dupes, malgré deux

REPÈRES BIOGRAPHIQUES

1804 1er juillet : Naissance à Paris d'Amandine-Aurore-Lucile Dupin (George Sand).

1808 16 septembre : Mort accidentelle de Maurice Dupin.

1818-1820 Aurore Dupin au couvent des Augustines anglaises.

1821 Mort de la grand-mère d'Aurore.

1822 17 septembre : Mariage avec Casimir Dudevant.

1823 30 juin : Naissance de Maurice Dudevant.

1825 Juillet-août : Voyage dans les Pyrénées ; à Cauterets, elle fait la connaissance d'Aurélien de Sèze.

1827 13 septembre : Naissance de Solange Dudevant.

1830 Aurore fait la connaissance de Jules Sandeau.

1831 4 janvier : Aurore s'installe à Paris.
Décembre : Publication de *Rose et Blanche* écrit avec Jules Sandeau.

1832 Publication d'*Indiana*. Aurore Dudevant devient George Sand.

1833 Sand fait la connaissance de Marie Dorval.
Juin : Sand fait la connaissance d'Alfred de Musset.
31 juillet : Publication de *Lélia*.
12 décembre : Sand et Musset quittent Paris pour l'Italie.
31 décembre : Arrivée à Venise.

1834 29 mars : Musset quitte Venise.
Avril-juillet : *André, Jacques*, les trois premières *Lettres d'un voyageur*.

1835 6 mars : Rupture définitive avec Musset, George s'enfuit à Nohant.
29 juillet : Séparation judiciaire de George et Casimir Dudevant.
Août-octobre : Séjour en Suisse avec Liszt et Marie d'Agoult.

1837 *Lettres à Marcie* dans *Le Monde*.
Février-mars et mai-juillet : Liszt et Marie d'Agoult à Nohant.
Août : *Mauprat*.
19 août : Mort de Sophie-Victoire Dupin, mère de George Sand.

1837-1842 L'éditeur Bonnaire publie *Œuvres de George Sand*, édition en 27 volumes.

1838 24 février-2 mars : Balzac à Nohant.
Fin juin : Début de la liaison avec Chopin.
8 novembre 1838-13 février 1839 : Séjour à Majorque.

1840 29 avril : Première de *Cosima* au Théâtre-Français.
Octobre : Rupture avec la *Revue des deux mondes* de François Buloz. Fonde la *Revue indépendante* avec Pierre Leroux et Louis Viardot.

1842 *Un hiver à Majorque, Consuelo, Horace*.

1844 *Jeanne*.

1845 *Le Meunier d'Angibault, Le Péché de monsieur Antoine*.

1846 *La Mare au Diable, Isidora, Teverino*.

1847 *Lucrezia Floriani*.
19 mai : Solange Dudevant épouse le sculpteur Auguste Clésinger.
Juillet : Rupture avec Chopin.
Décembre : *François le Champi* commence à paraître dans le *Journal des débats*.

1848 23 février : La révolution éclate à Paris. George Sand y arrive le 1er mars.
18 mai : Après l'échec de la journée du 15 mai, George regagne Nohant.
Décembre : *La Petite Fadette*.

1849 Représentations au petit théâtre de Nohant.
17 octobre : Mort de Frédéric Chopin.

1851 *Claudie* représentée au Théâtre Saint-Martin, *Molière* à la Gaîté. *Le Mariage de Victorine* au Gymnase.

1852 Sand multiplie les démarches en faveur des condamnés politiques.
31 août : Séparation des époux Clésinger.

1853 *Les Maîtres sonneurs*. A l'Odéon : *Mauprat*.

1854 *Adriani, Histoire de ma vie*.

1858 Nombreux séjours à Gargilesse. *Les Beaux Messieurs de Bois-Doré, L'Homme de neige*. Fin de la brouille avec Buloz.

1862 *Autour de la table, Souvenirs et impressions littéraires*.
17 mai : Maurice épouse Lina Calamatta.

1863 *Mademoiselle La Quintinie*.

1864 *Le Marquis de Villemer* triomphe à l'Odéon.
Juin : George s'installe à Palaiseau avec Alexandre Manceau.

1865 Manceau meurt à Palaiseau.

1866 Naissance d'Aurore Sand, petite fille de George Sand.
Août et septembre : Deux séjours à Croisset, chez Flaubert.

1868 Naissance de Gabrielle Sand, deuxième petite-fille de George.

1869 23-26 décembre : Flaubert à Nohant.

1873 Avril : Flaubert et Tourgueniev à Nohant.
Impressions et souvenirs, Contes d'une grand-mère.

1875 Dernier voyage à Paris.

1876 8 juin : Mort de George Sand à Nohant.

MUSÉOGRAPHIE

Musée de la Vie romantique
Situé au cœur de la Nouvelle-Athènes, à Paris,
l'ancien atelier du peintre Ary Scheffer a
accueilli Lamartine, Béranger, Tourgueniev,
Dickens, Delacroix, Liszt et bien d'autres.
De son premier occupant, Ary Scheffer, à sa
dernière propriétaire, la petite-fille d'Ernest
Renan, l'immeuble fut entièrement consacré
aux arts et aux lettres.
Aujourd'hui propriété des Musées de la Ville
de Paris, il conserve une importante collection
de manuscrits et de papiers ayant appartenu
à George Sand. Dans les vitrines sont exposés
des souvenirs émouvants, comme le manuscrit
du roman *Albine*, laissé inachevé par la mort
de Sand, ou le moulage, par Clésinger, de la
main de Chopin. Le célèbre pastel de Quentin
de La Tour représentant le maréchal de Saxe,
des tableaux figurant les aïeux de George,
des dessins d'Ingres et de Delacroix, des
portraits de Solange et Maurice, d'Auguste
Clésinger ou de Manceau, des paysages
rappellent le souvenir des ancêtres de la
romancière, de ses familiers et de ses

compagnons, aux noms souvent célèbres,
et évoquent les lieux qui ont marqué le
romantisme.
16, rue Chaptal - 75009 Paris. Tél. 01 48 74 95 38.
Ouvert tous les jours sauf le lundi
de 10 h à 17 h 40.

Domaine national de Nohant-Vicq
Château de Nohant - 36400 Nohant-Vicq.
Tél. 02 54 31 06 04.

**Centre international George Sand et
le romantisme**
Château d'Ars - 36400 Lourouer Saint-Laurent
Tél. 02 54 48 42 80.

Maison de George Sand à Gargilesse
Le Bourg - 36190 Gargilesse Dampierre
Tél. 02 54 47 84 14.

Musée George-Sand et de la Vallée noire
70, rue Venôse - 36400 La Châtre
Tél. 02 54 48 36 79.

BIBLIOGRAPHIE

Œuvres choisies de George Sand
- *Adriani*, France Empire, 1980.
- *Agendas,* 5 vol., Ed. Touzot, 1991-1993.
- *Les Beaux Messieurs de Bois-Doré*, Editions
de l'Aurore, 1990.
- *Le Château des Désertes*, Editions de l'Aurore,
1985.
- *Le Chêne parlant*, Editions du Chardon bleu,
1986.
- *Le Compagnon du Tour de France*, Presses
universitaires de Grenoble, 1988.
- *Consuelo*, 3 vol., Editions de l'Aurore, 1993.
- *La Comtesse de Rudolstadt*, Garnier, 1970.
- *Contes d'une grand-mère*, Editions de l'Aurore,
1982.
- *Correspondance*, 24 vol., Garnier, 1964-1994.
- *La Daniella*, Editions de l'Aurore, 1992.
- *Elle et Lui*, Editions de l'Aurore, 1986.
- *La Petite Fadette*, Garnier-Flammarion, 1973.
- *La Filleule*, Editions de l'Aurore, 1989.
- *La Mare au diable*, Garnier, 1981.
- *Gabriel*, Editions des Femmes, 1988.
- *Horace*, Editions de l'Aurore, 1982.
- *Indiana*, Folio, 1984.

- *Isidora*, Editions des Femmes, 1990.
- *Jeanne*, Editions de l'Aurore, 1990.
- *Jean de l'Aurore*, Editions de l'Aurore, 1988.
- *Légendes rustiques*, Editions Verso, 1987.
- *Lélia*, Editions de l'Aurore, 1988 (édition
de 1833), Garnier, 1960 (édition de 1839).
- *Lettres d'amour, Sand et Musset*, Hermann,
1981.
- *Lucrezia Floriani*, Editions de la Sphère, 1981.
- *Les Maîtres mosaïstes*, Editions du Chêne, 1993.
- *Les Maîtres sonneurs*, Garnier, 1981.
- *Malgrétout*, Editions de l'Aurore, 1992.
- *Le Marquis de Villemer*, Editions de l'Aurore,
1989.
- *Mauprat*, Folio, 1981.
- *Le Meunier d'Angibault*, Editions de l'Aurore,
1990.
- *Monsieur Sylvestre*, Slatkine, 1981.
- *Mont-Revêche*, Editions du Rocher, 1989.
- *Nanon*, Editions de l'Aurore, 1989.
- *Œuvres autobiographiques*, Gallimard,
«La Pléiade», 2 vol., 1978.
- *Le Péché de M. Antoine*, Editions de l'Aurore,
1982.

- *Le Piccinino*, Editions de l'Aurore, 1994.
- *Le Secrétaire intime*, Editions de l'Aurore, 1991.
- *Les Sept Cordes de la lyre*, Flammarion, 1973.
- *Tamaris*, Editions de l'Aurore, 1984.
- *Valentine*, Editions de l'Aurore, 1988.
- *Vies d'artistes*, Les Presses de la cité, 1992.
- *La Ville noire*, Editions de l'Aurore, 1989.

Œuvres sur George Sand
- J. Barry, *George Sand ou le Scandale de la Liberté*, Editions du Seuil, 1982.
- M. Caors, *George Sand, de voyages en romans*, Editions Royer, 1993.
- *Ecritures du romantisme* (sous la direction de B. Didier et J. Neefs), tome 2, PUV, 1989.
- M. Hecquet, *Poétique de la parabole*, Klinksieck, 1992.

- G. Lubin, *George Sand en Berry*, Hachette, 1967.
- G. Lubin (mélange offert à), *Autour de George Sand*, CEC des XIXe et XXe siècles, 1992.
- F. Mallet, *George Sand*, Grasset, 1976.
- N. Mozet, *Une correspondance*, Editions C. Pirot, 1994.
- *George Sand* (sous la direction d'I. Naginski), *Revue des Sciences humaines*, n° 226, 1992
- P. Salomon, *George Sand*, Editions de l'Aurore, 1984.
- C. Tricotel, *Comme deux troubadours*, Editions SEDES, 1978.
- *George Sand : Recherches nouvelles* (sous la direction de F. Van Rossum-Guyon), CRIN, 1983.
- *George Sand : une œuvre multiforme, Recherches nouvelles* (sous la direction de F. Van Rossum-Guyon), tome 2, CRIN, 1991.

TABLE DES ILLUSTRATIONS

49h *Blanqui en prison,* dessin de A. Vauvilliers. Château de Compiègne.

50hg Titre du manuscrit de *La Petite Fadette* de George Sand.

50hd *Mauprat,* page de titre de l'édition originale, 1837. Bibliothèque nationale de France, Paris.

50b Illustration pour *Mauprat,* lithographie de Eugène et Achille Deveria.

51hd Portrait de George Sand, dessin de Luigi Calamatta d'après Charpentier. Coll. part.

51hg *François Le Champi* de George Sand, page de titre de l'édition originale, 1850.

51mg *Les Légendes rustiques* de George Sand, page de titre de Maurice Sand, 1858. Bibliothèque des Arts décoratifs, Paris.

51bg *Les Maîtres sonneurs* de George Sand, page de titre de l'édition originale, 1853.

51g *La Petite Fadette* de George Sand, page de titre de l'édition originale, 1849.

52hd Autoportrait de George Sand. Bibliothèque de l'Institut de France, coll. Spoelberch de Lovenjoul, Paris.

52g *La Voix des femmes,* journal féminin, 3 avril 1848. Bibliothèque nationale de France, Paris.

53 Club Féminin, lithographie de 1848.

54 *Portrait de George Sand,* peinture de Charpentier. Musée de la Vie romantique, Paris.

55 Portrait de Fréderic Chopin à sa table de travail, dessin de George Sand. Coll. part.

56h *Chopin à Marseille ne s'amuse guère,* mai 1839, dessin de Maurice Sand. Coll. part.

56b George Sand, ses enfants et Chopin à Valldemosa, dessin de George Sand, 1839.

57hg *Portrait de Maurice Sand,* peinture de Charpentier. Château de Nohant.

57hd *Portrait de Solange Sand,* peinture de Charpentier. Château de Nohant.

57b La Chartreuse de Valldemosa, dessin de J. B. Laurens.

58hd *Portrait de George Sand,* peinture de Delacroix, 1838. Musée Ordrupgaard, Charlottenburg.

58b Lettre de George Sand à Pauline Viardot. Musée George-Sand, La Châtre.

59hg *Portrait de Chopin,* peinture de Delacroix. Musée du Louvre, Paris.

59hd *Portrait d'Honoré de Balzac,* peinture de Maxime Dastugne d'après Louis Boulanger. Musée du château de Versailles.

CHAPITRE IV

60 Vue de la scène du théâtre de Nohant avec les spectateurs,

aquarelle de Maurice Sand in *Recueil des principaux types créés, avec leurs costumes, sur le théâtre de Nohant,* dessinés par Maurice Sand. Bibliothèque nationale de France, Paris.

61 *Bocage engraissé,* caricature du *Journal de France.*

62h *La Chambre de George Sand à Nohant,* peinture de Santa-Olaria. Musée de la Vie romantique, Paris.

62-63 *Le Château de Nohant,* lithographie de Isidore Meyer.

63 *Portrait de George Sand,* dessin de Alexandre Manceau. Musée de la Vie romantique, Paris.

64h *Fadet-facteur,* aquarelle de George Sand. Coll. part., Paris.

64b Bords de la Creuse avec George et Maurice Sand, dessin de E. Grandsire. Musée de la Vie romantique, Paris.

65 *George Sand et ses amis,* aquarelle sur éventail de Auguste Charpentier et George Sand. Musée de la Vie romantique, Paris.

66h *Portrait d'Alexandre Manceau,* dessin de Auguste Lehmann. Bibliothèque historique de la Ville de Paris.

66b *Aurore et Gabrielle Dudevant dans un paysage,* aquarelle de George Sand.

67h Portrait de Lina Calamatta, dessin de Joséphine Calamatta. Musée de la Vie

romantique, Paris.

67d Portrait de Maurice Sand au chapeau, dessin de Couture. Musée de la Vie romantique, Paris.

68hg *Le Café chantant,* aquarelle de Maurice Sand, in *Recueil des principaux types…*

68b Le public du théâtre des marionnettes de Maurice Sand, gravure de Maurice Sand. Bibliothèque nationale de France, Paris.

69g Annonce des spectacles de Nohant, aquarelle de Maurice Sand. Bibliothèque nationale de France, Paris.

69d Affiche pour *L'Auberge du crime* (détail), dessin de George Sand, 1847. Bibliothèque de l'Institut de France, coll. Spoelberch de Lovenjoul, Paris.

69b *Maurice Sand montreur de marionnettes,* aquarelle de Maurice Sand, in *Recueil des principaux types…*

70h Théâtre des marionnettes de Nohant, 1847. Château de Nohant.

70b Les marionnettes de Nohant. Château de Nohant.

71hg *Le Théâtre des marionnettes* de Maurice Sand, page de titre aquarellée de Maurice Sand. Bibliothèque nationale de France, Paris.

71hd *Maurice Sand montreur de marionnettes,* aquarelle de Maurice Sand.

INDEX

CRÉDITS PHOTOGRAPHIQUES

AKG, Paris 4, 38-39, 55. Bibliothèque nationale de France, Paris 17, 36-37, 45b, 50hd, 60, 68hg, 68b, 69g, 71hg, 71hd, 72-73, 76, 81. Bulloz, Paris 18-19. CNMHS, Paris 70h, 70b, 77b, 99. J.-L.Charmet, Paris 1er plat, 11, 34, 41b, 48b, 51mg, 52hd. DR 4e plat, dos de couverture, 1h, 13, 16, 21d, 24h, 25h, 25b, 28h, 28b, 29h, 29b, 30-31, 31h, 32-33, 35b, 37h, 39d, 43, 45h, 46hd, 46hg, 49b, 50b, 51hd, 51g, 56h, 57, 58h, 58b, 61, 62-63, 64h, 77h, 78h, 78b, 79, 80, 85, 88, 91, 97, 98, 100, 103. Edimédia, Paris 1, 2-3, 4-5, 6-7, 8-9, 12, 18g, 24b, 40, 52g, 53, 64d, 71b, 74-75. Giraudon, Paris 22, 44-45, 50hg. Photothèque des Musées de la Ville de Paris 1er plat (fond), 3, 6, 14, 14b, 15h, 15d, 19h, 19b, 26-27, 30, 41h, 42, 46g, 46-47, 47d, 54, 62h, 63, 64b, 65, 67h, 67d, 92, 93, 95, 96. Réunion des Musées nationaux, Paris 9, 20-21, 49h, 59hg, 59hd. Roger-Viollet, Paris 23, 31b, 32h, 32g, 33d, 35h, 44h, 49b, 56b, 82, 89, 102. J. Vigne, Paris 36g.

REMERCIEMENTS

L'auteur et l'éditeur remercient monsieur Georges Lubin et madame Charlotte de Clercq.

ÉDITION ET FABRICATION

DÉCOUVERTES GALLIMARD
DIRECTION Pierre Marchand et Elisabeth de Farcy.
DIRECTION DE LA RÉDACTION : Paule du Bouchet. GRAPHISME Alain Gouessant.
PROMOTION & PRESSE Valérie Tolstoï. FABRICATION Claude Cinquin.
GEORGE SAND, UN DIABLE DE FEMME
EDITION : Sébastien Deleau et Béatrice Peyret-Vignals. MAQUETTE ET MONTAGE PAO : Jérôme Faucheux (Corpus), Dominique Guillaumin (Témoignages et Documents). ICONOGRAPHIE : Anne Soto. LECTURE-CORRECTION : Catherine Lévine et Jocelyne Marziou. PHOTOGRAVURE : MP Productions (Corpus), Arc-en-ciel (Témoignages et Documents).

Table des matières